LES ARBRES ET LES FEUILLES

Ingrid Selberg

Comment identifier les arbres avec ce livre?

Ce livre décrit les arbres que tu rencontreras le plus souvent dans la nature. Il t'explique à quoi correspondent les différentes parties d'un arbre et leur fonction. Quand tu vois un arbre et désires en connaître le nom — ou obtenir d'autres renseignements —, feuillette cet ouvrage de la manière suivante:

1

Reporte-toi à la fin du livre (pages 28-31) et vérifie si l'arbre qui t'intéresse se trouve dans le chapitre intitulé *Repérage d'arbres communs*. Si tes recherches restent infructueuses...

2

... consulte la page consacrée à la *partie de l'arbre* que tu veux observer. Les pages 16-17, par exemple, traitent des fruits et des graines.

Note toujours soigneusement ce que tu vois pour pouvoir mieux identifier les arbres plus tard.

Dépôt légal n° 4375

ISBN 0 7460 01169

Imprimé en Belgique

Bouleau commun

Texte de
I. Selberg

Adaptation de
Yvette Gogue

Maquette de
S. Burrough

Illustrations de
J. Barber, C. Darter,
J. Francis, V. Gordon,
T. Hayward, C. Howes,
M. Mc Gregor, B. Nicholson

Érable plane

Marronnier rouge

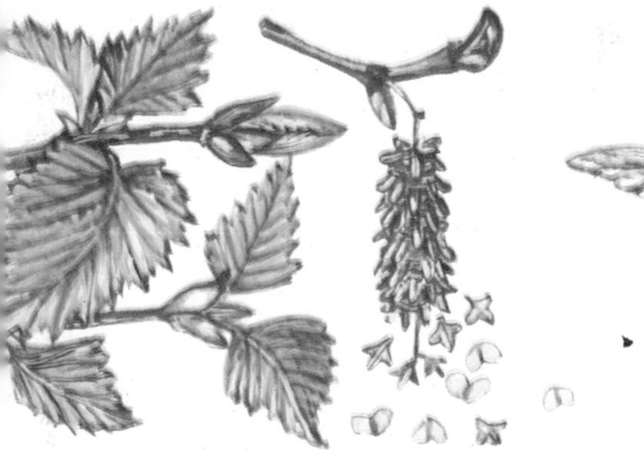

Pommes

LES ARBRES ET LES FEUILLES

Où que tu sois, tu as toujours des arbres autour de toi. Ce livre t'apprendra ce qu'ils sont et la manière de les étudier. Tu y trouveras décrites les différentes parties d'un arbre, comment elles fonctionnent et comment elles peuvent t'aider à identifier celui que tu as repéré.
Il t'explique son cycle de vie, depuis sa germination à partir d'une graine jusqu'à sa mort ou son abattage pour en utiliser le bois en menuiserie. Tu y trouveras aussi des indications pour noter des découvertes ou collectionner des spécimens. Pour identifier un arbre, suis les conseils qui te sont donnés p. 1.

Sommaire

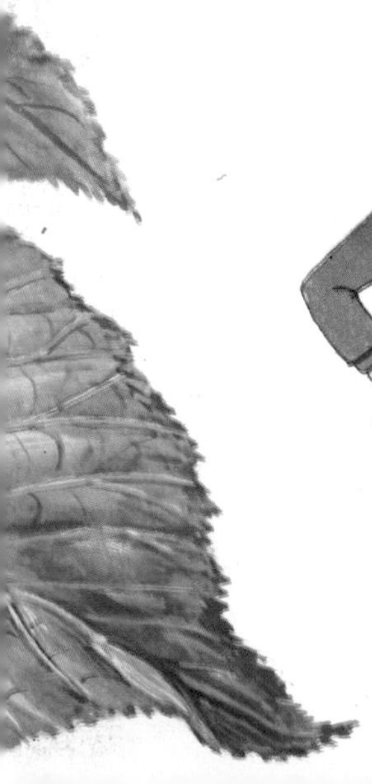

Épicéa de Sitka

Comment identifier les arbres

Quand tu veux identifier un arbre, regarde d'abord ses feuilles. Certains d'entre eux, toutefois, ont des feuilles à peu près identiques — tu peux confondre, par exemple, une feuille de Peuplier d'Italie avec celle d'un Bouleau. Réfère-toi donc toujours à une autre caractéristique, telle que la forme de la cime ou l'écorce pour ne pas te tromper (regarde les schémas 1 à 5 ci-dessous). Les bourgeons qui couvrent les rameaux en hiver te seront également d'un précieux secours.

On peut répartir les arbres en trois groupes: les Feuillus, les Conifères et les Palmiers (à droite). Essaie de retrouver à quel groupe appartient ton spécimen. Il n'est d'ailleurs pas nécessaire d'aller en forêt pour trouver des arbres. Observe tous ceux qui poussent dans les jardins, le long des routes, dans les parcs. Il t'arrivera même d'en découvrir de fort rares dans les jardins.

Arbres feuillus

Les Feuillus ont tous de larges feuilles qui tombent dès l'automne. Certains, pourtant, conservent les leurs en cette saison. C'est le cas du Houx, du Laurier, du Chêne vert et du Buis. Les Feuillus possèdent un bois que l'on qualifie de dur et la plupart des Conifères un bois tendre.

Arbre ou arbuste?

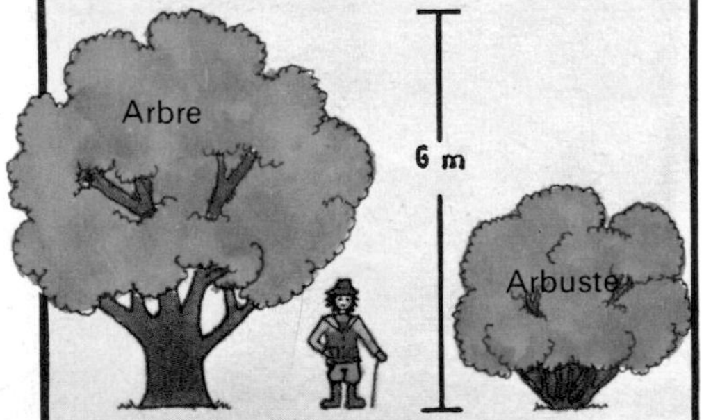

Les arbres sont des plantes qui peuvent dépasser 6 mètres de haut, portés sur un seul tronc ligneux. Les arbustes sont généralement plus bas et possèdent plusieurs tiges. Tu apprendras page 27 comment mesurer les arbres.

Que dois-tu regarder?

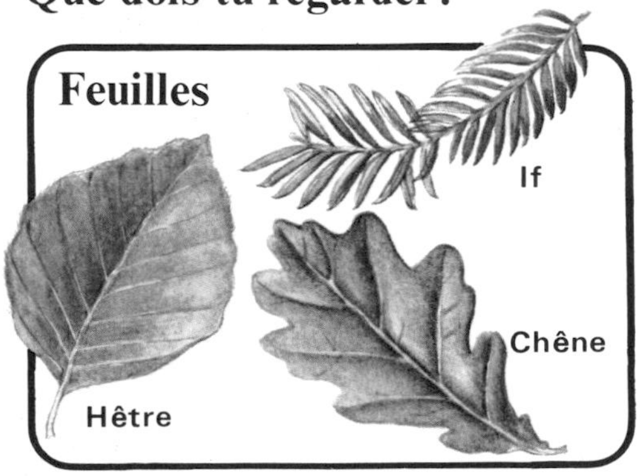

Pour identifier un arbre, regarde de préférence ses feuilles, mais n'oublie pas d'observer ses autres parties. Tu trouveras page 8 une description détaillée de feuilles.

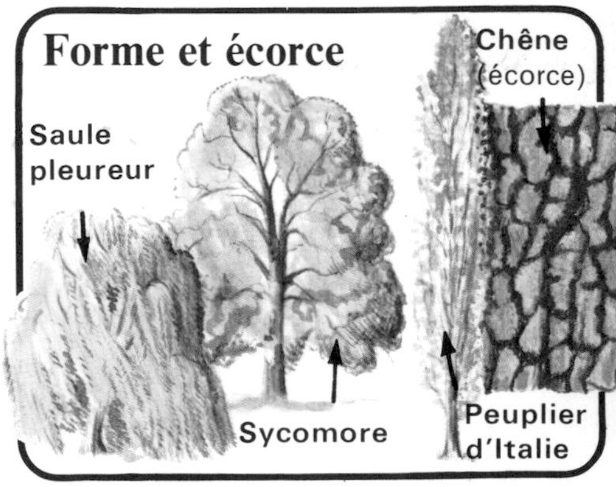

La forme générale de l'arbre et de sa couronne ou cime t'aidera également. Tu peux en reconnaître certains en étudiant leur silhouette et leur écorce. Reporte-toi aux pages 12-13.

Conifères

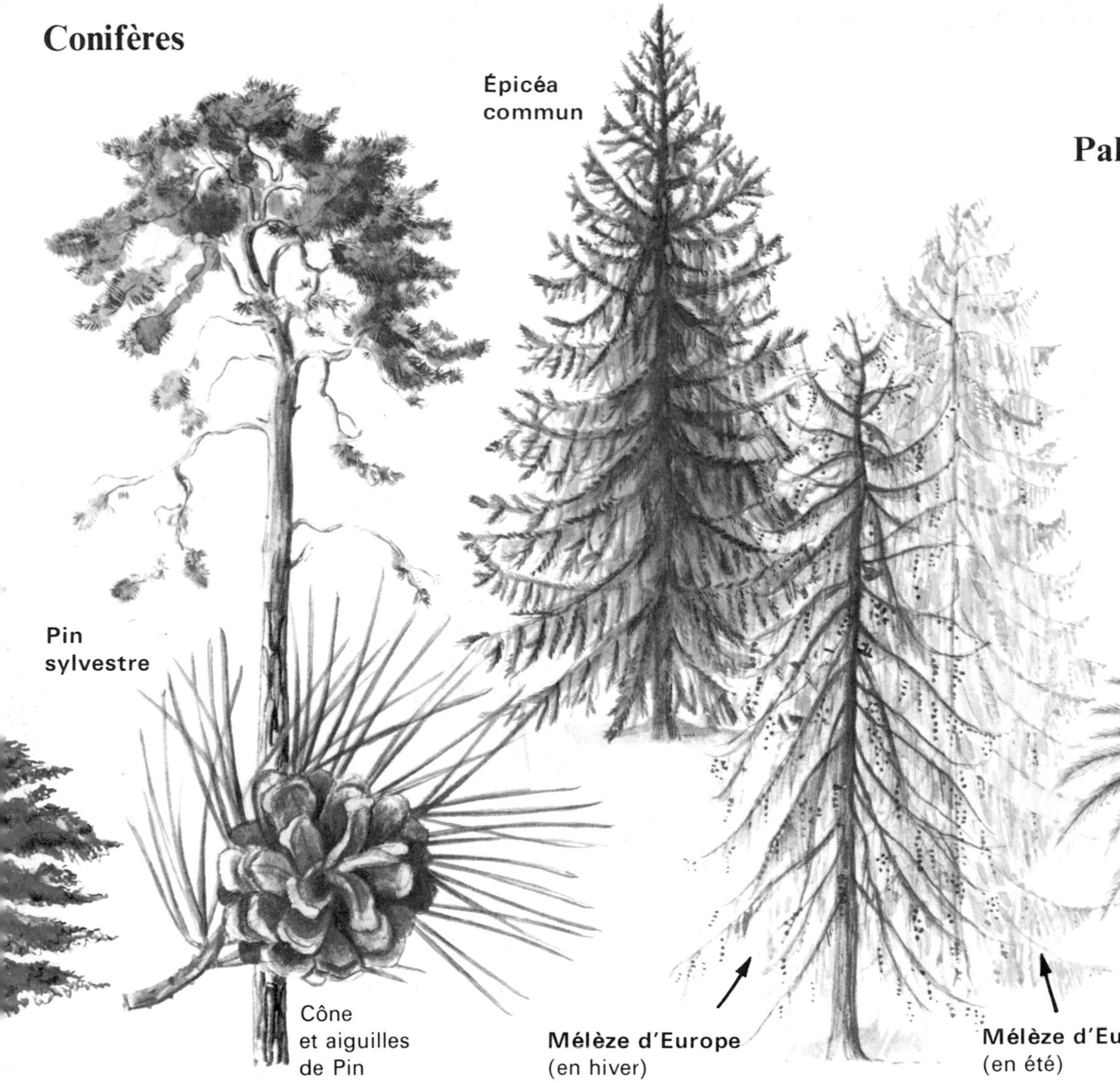

Les Conifères ont généralement des feuilles étroites semblables à des aiguilles ou écailleuses. Ces feuilles ne tombent pas en automne. On les appelle persistantes. Le Mélèze fait exception: il n'est pas toujours vert. Les fruits des Conifères sont normalement des cônes ligneux (mais certains d'entre eux, comme l'If, portent des baies). La silhouette des Conifères est plus régulière que celle de la plupart des Feuillus.

Palmiers

Les Palmiers ont des troncs nus, dégarnis de branches. Les feuilles ou palmes poussent en leur sommet. Contrairement aux autres arbres, les Palmiers se développent en hauteur sans gagner en épaisseur.

Bourgeons d'hiver

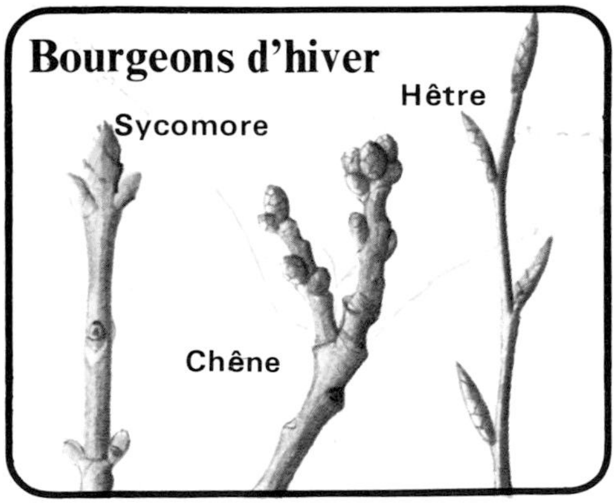

En hiver, après la chute des feuilles, tu peux encore différencier les arbres par leurs bourgeons, leur écorce et leur forme. Consulte la page 11 consacrée aux bourgeons.

Fleurs

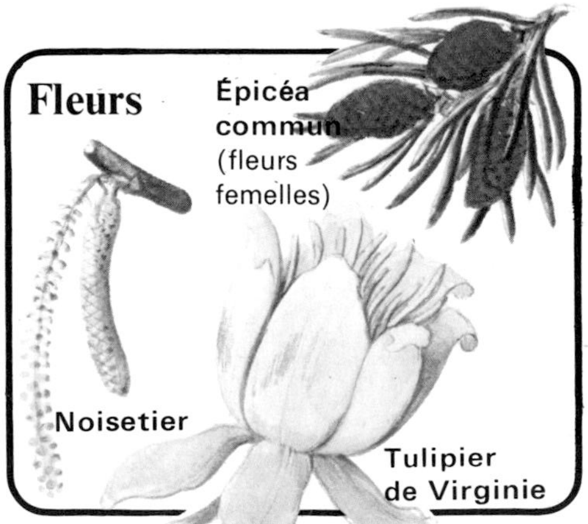

Suivant la saison, les arbres portent des fleurs qui peuvent t'aider à les reconnaître. Certains, par contre, ne fleurissent pas tous les ans. Reporte-toi aux pages 14-15.

Fruits et graines

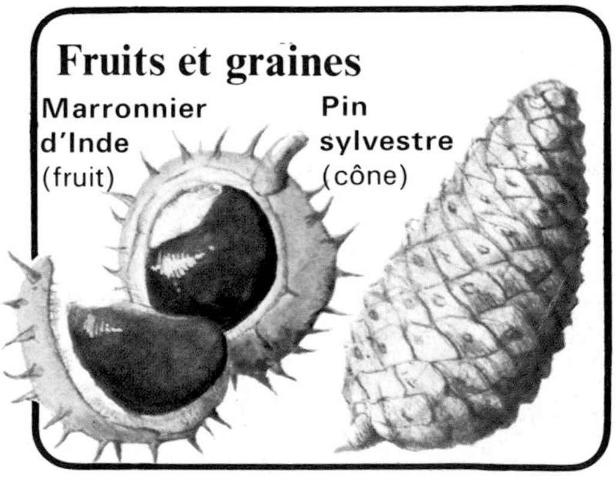

De même, tous les arbres ne donnent pas des fruits chaque année. Les fruits qui poussent sur les rameaux sont généralement voyants. Les cônes sont eux aussi des fruits (voir pp. 16-17).

Comment pousse un arbre

L'arbre dont nous te racontons ici l'histoire est un Sycomore. Mais tous les arbres, bien que très nombreux et très différents, se développent tout au long de leur existence de la même manière: ils germent, grandissent, fleurissent, donnent des fruits et perdent leurs graines.
Suivant la saison et l'année, toutes sortes d'arbres portent des fleurs et des fruits, même si tu ne peux les voir distinctement sur certains. Les fleurs ne sont pas toujours aussi grosses que celles du Marronnier d'Inde ou les fruits aussi gros que ceux du Pommier. Les fruits ne mûrissent pas tous en automne. Certains apparaissent au début de l'été et même au printemps.
Mais tu peux observer le mode de croissance d'un arbre sous d'autres aspects. Si tu peux trouver un jeune plant, compte ses cicatrices foliaires (schéma 5) pour connaître son âge.
Si tu vois un arbre déraciné, regarde ses racines et essaie de les mesurer. Pourquoi, à ton avis, doivent-elles être aussi longues? Recherche aussi des bûches et des souches pour distinguer les couches de bois et l'écorce.

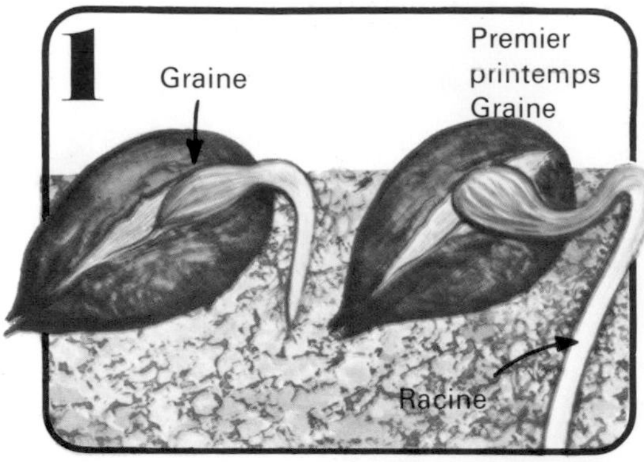

L'arbre commence à pousser au printemps à partir d'une graine qui est restée enfouie dans le sol tout l'hiver. Maintenant, grâce à la nourriture emmagasinée, la graine émet dans la terre une racine pour s'imprégner d'eau et de sels minéraux.

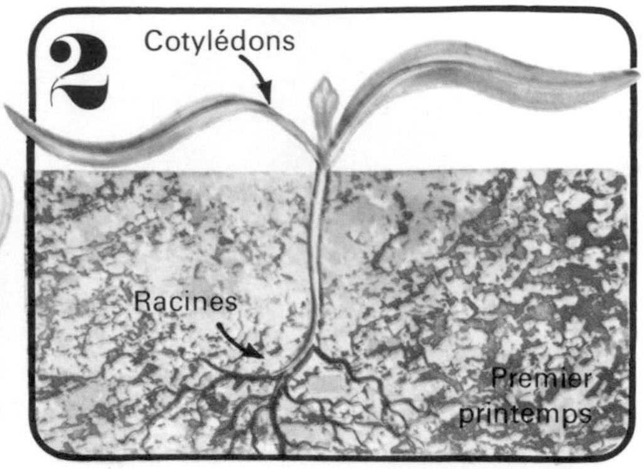

Puis, la graine produit une pousse qui jaillit au-dessus du sol pour atteindre la lumière. Deux feuilles germinales charnues ou cotylédons s'ouvrent et libèrent un petit bourgeon. Leur forme diffère de celle des feuilles ordinaires de l'arbre.

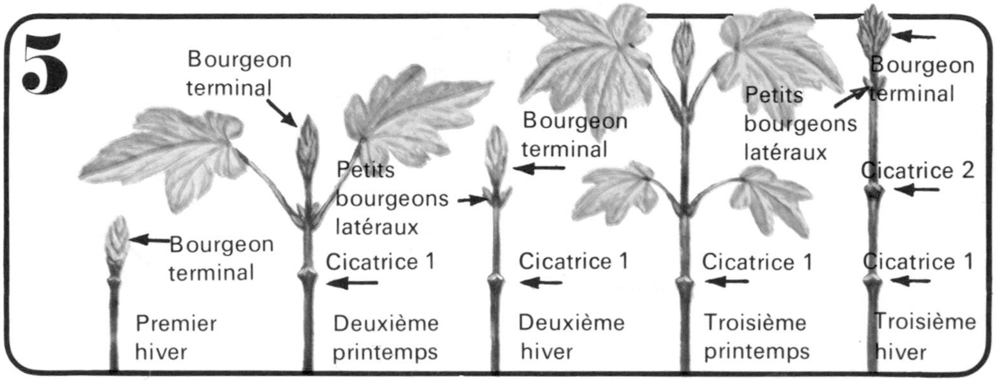

Au printemps suivant, le bourgeon s'ouvre et une nouvelle pousse apparaît, portant des feuilles à son extrémité. En automne, ces feuilles tombent. L'année suivante, le même phénomène se reproduit. Au cours des quelques années suivantes, les feuilles laissent ainsi sur la tige une cicatrice. Les bourgeons qui se développent sur les côtés de la tige ou bourgeons latéraux émettent également des pousses en été. Mais ces pousses ne croissent pas aussi vite que la pousse terminale, située au sommet de l'arbre. Tous les ans, l'arbre grandit et les racines se ramifient.

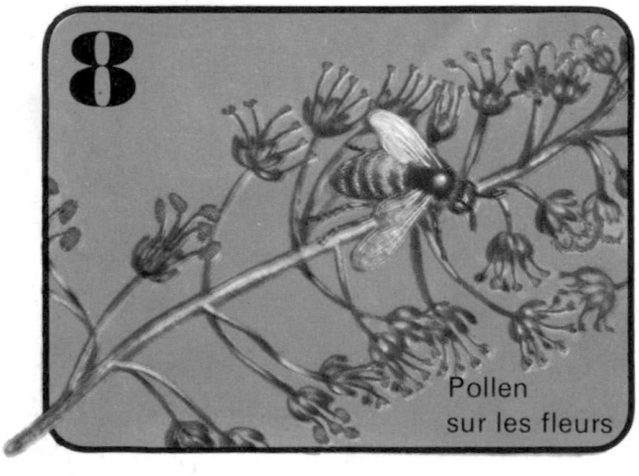

Quand un arbre atteint douze ans d'âge environ, ses branches se couvrent de fleurs au printemps. Les abeilles, qui viennent butiner le nectar des fleurs, recueillent sur leur corps velu une partie du pollen qui y est contenu.

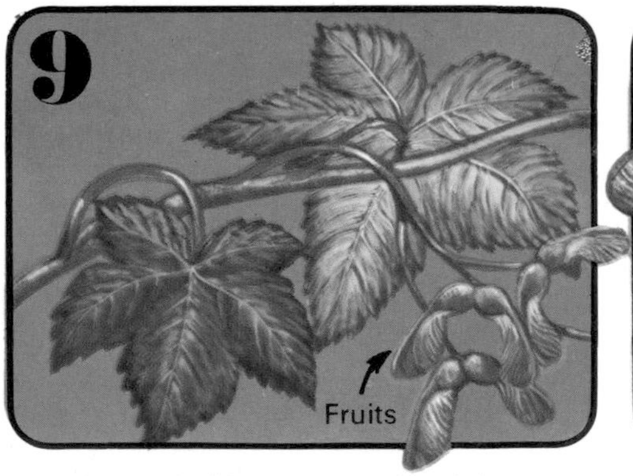

Quand les abeilles vont ensuite visiter d'autres fleurs de Sycomore, un peu de ce pollen collé à leur corps se dépose sur les éléments femelles de ces fleurs leur permettant de se transformer en fruits.

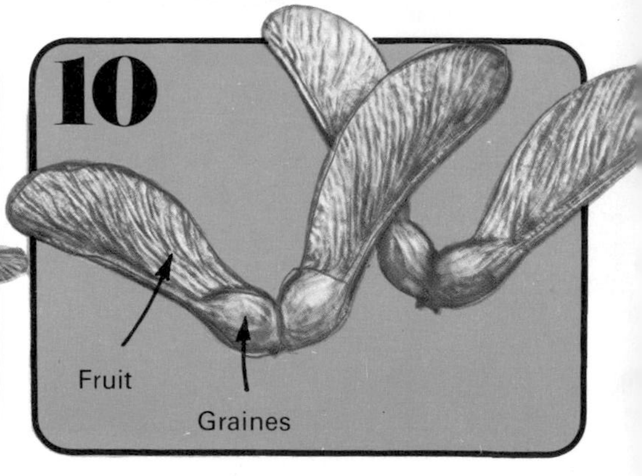

Plus tard, dans l'année, les fruits tombent de l'arbre en tournoyant comme de petits hélicoptères, emportant les graines loin de la plante mère. Les ailes pourrissent dans le sol, et les graines attendent le printemps suivant pour germer.

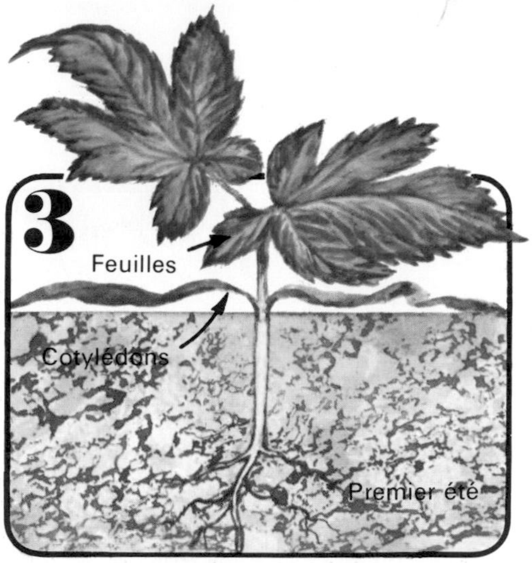

Les cotylédons utilisent l'énergie solaire pour permettre à l'arbre de se développer. Bientôt, le bourgeon éclate et la première paire de feuilles ordinaires apparaît. Peu après, les cotylédons tombent et les racines s'allongent.

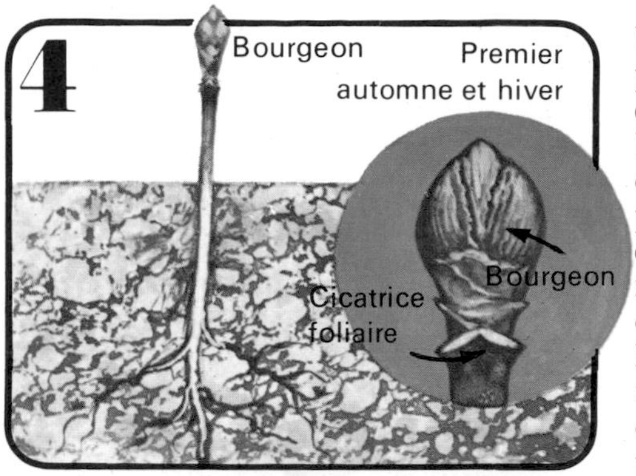

En automne, toutes les feuilles changent de couleur et tombent, laissant une «cicatrice foliaire» autour de la tige, à leur point d'attache. Un bourgeon émerge au sommet de la pousse. Ce bourgeon ne pousse pas de tout l'hiver.

Houx
feuille

Un arbre perd ses feuilles en automne pour ne pas se déshydrater et subir les dommages du vent et du gel. Normalement, il transpire par ses feuilles et se nourrit de l'eau que ses racines prélèvent dans le sol. Mais, en hiver, quand la terre est dure et froide, les racines ne peuvent jouer leur rôle correctement. S'il gardait ses feuilles, l'arbre se dessécherait progressivement et mourrait. On appelle «à feuilles caduques» les arbres dont les feuilles tombent en automne.

Certains arbres feuillus, le Houx par exemple, sont dits «à feuilles persistantes» car ils ne s'effeuillent pas en hiver. Les feuilles sont revêtues d'une couche cireuse qui leur permet de survivre en hiver.

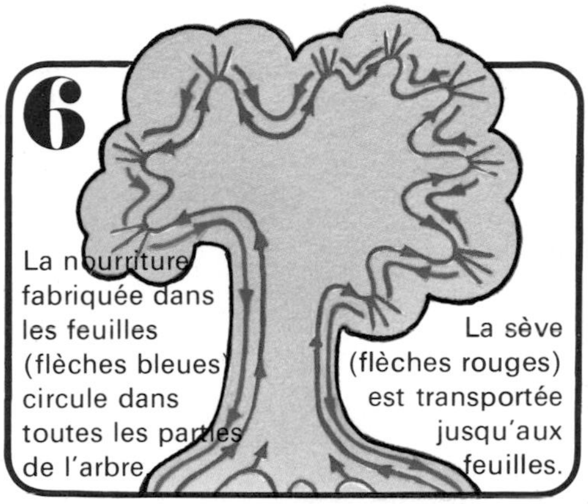

L'arbre tire toute la nourriture dont il a besoin de ses feuilles, qui contiennent une substance verte appelée chlorophylle. Sous l'effet de la lumière, la chlorophylle peut transformer l'air, l'eau et les sels minéraux absorbés dans le sol en nourriture pour l'arbre.

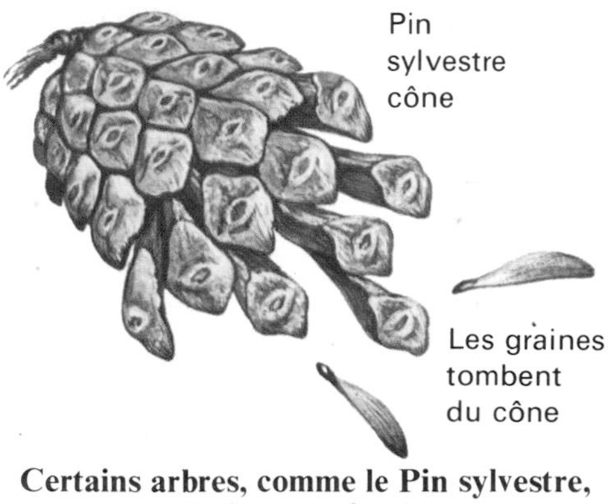

Certains arbres, comme le Pin sylvestre, portent des fruits appelés cônes, qui restent sur l'arbre, mais s'ouvrent pour laisser les graines tomber d'elles-mêmes. Quand ils sont vieux et desséchés, ces cônes se détachent eux aussi de l'arbre.

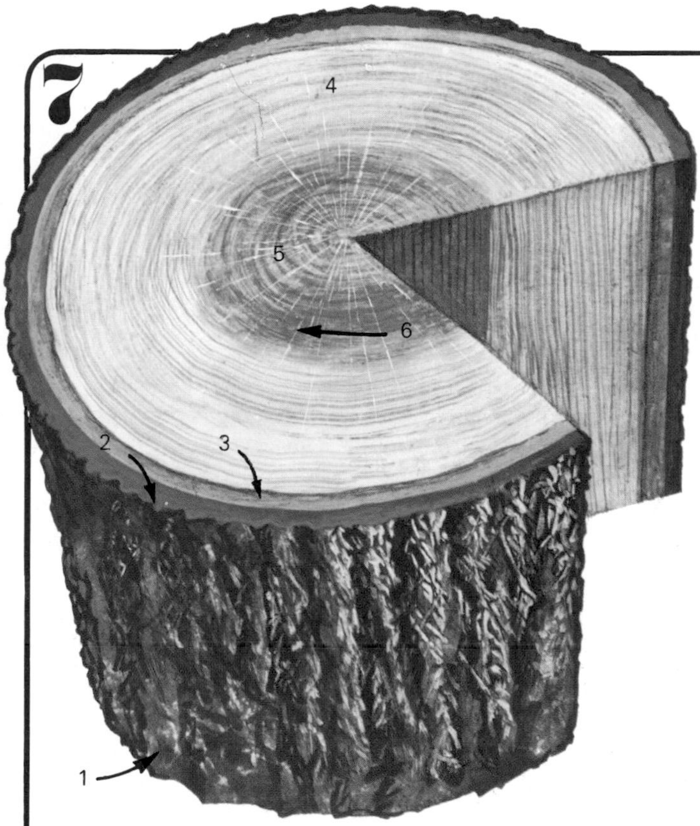

1. L'écorce est la couche externe qui protège l'arbre du soleil, de la pluie et des animaux qui pourraient l'attaquer.

2. Le liber. A l'intérieur de l'écorce se trouvent des vaisseaux qui véhiculent la sève élaborée des feuilles au reste de l'arbre, y compris les racines.

3. Le cambium. Cette couche est si mince que tu peux à peine la voir. Elle a pour rôle de produire une nouvelle couche d'aubier chaque année. Ainsi, le tronc s'épaissit et se renforce.

4. L'aubier. Cette couche possède des tubes minuscules qui transportent la sève (eau et sels minéraux) des racines vers les branches et les feuilles. Chaque année, le cambium fabrique un nouvel «anneau» de ce bois.

5. Le duramen. C'est l'ancien aubier qui est mort et est devenu très dur. Il rend l'arbre fort et rigide.

6. Les rayons. Si tu coupes une bûche dans le sens transversal, tu peux voir des zones pâles. Ce sont les rayons qui transportent la nourriture latéralement.

Chaque année, l'arbre porte de nouvelles branches. La tige s'épaissit pour les soutenir et les racines se ramifient. La tige se renforce d'une nouvelle couche de bois. Tu peux voir sur ce dessin l'intérieur de la tige ou tronc.

Feuilles

En général, sur un arbre, ce sont les feuilles que l'on remarque en premier. Un Chêne adulte peut être couvert de plus de 250 000 feuilles et un Conifère porter plusieurs millions d'aiguilles.
Les feuilles se tournent vers la lumière et fournissent à l'arbre, grâce au pigment vert ou chlorophylle qu'elles contiennent, la nourriture dont il a besoin.
Elles utilisent les gaz de l'atmosphère et éliminent l'oxygène en excédent par des pores minuscules appelés stomates. Puis, la nourriture fabriquée est acheminée dans des veines vers les autres parties de la feuille. Ces veines raffermissent également la feuille.
Chaque feuille possède une queue rigide ou pétiole qui amène l'eau depuis le rameau et lui permet d'être mobile, sans toutefois se casser sous les rafales de vent.
Bien qu'apparemment différentes, les feuilles des Conifères et des Feuillus ont la même fonction.
Les Conifères peuvent avoir des feuilles persistantes en hiver, mais les Feuillus perdent les leurs en automne. Celles des Conifères tombent également, mais jamais en même temps.

Conifères

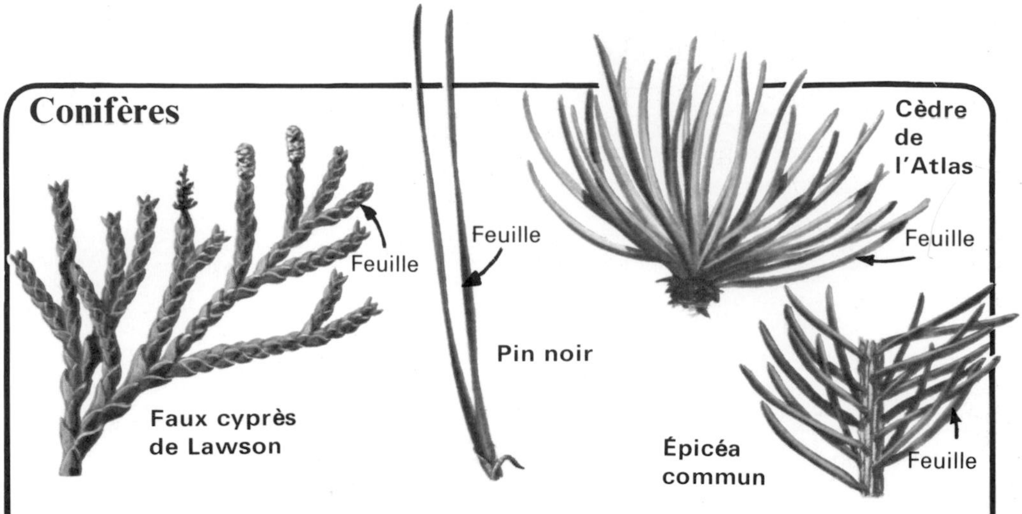

De nombreux Conifères portent de fines aiguilles, très aiguës ou piquantes, isolées, groupées en faisceaux ou disposées autour du rameau. Chez certains, toutefois, les Cyprès par exemple, les feuilles sont minuscules et ressemblent à des écailles imbriquées les unes dans les autres.

Feuillus

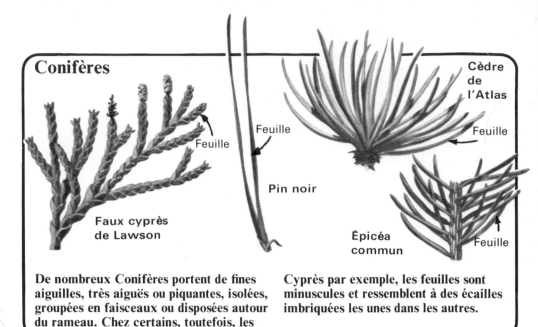

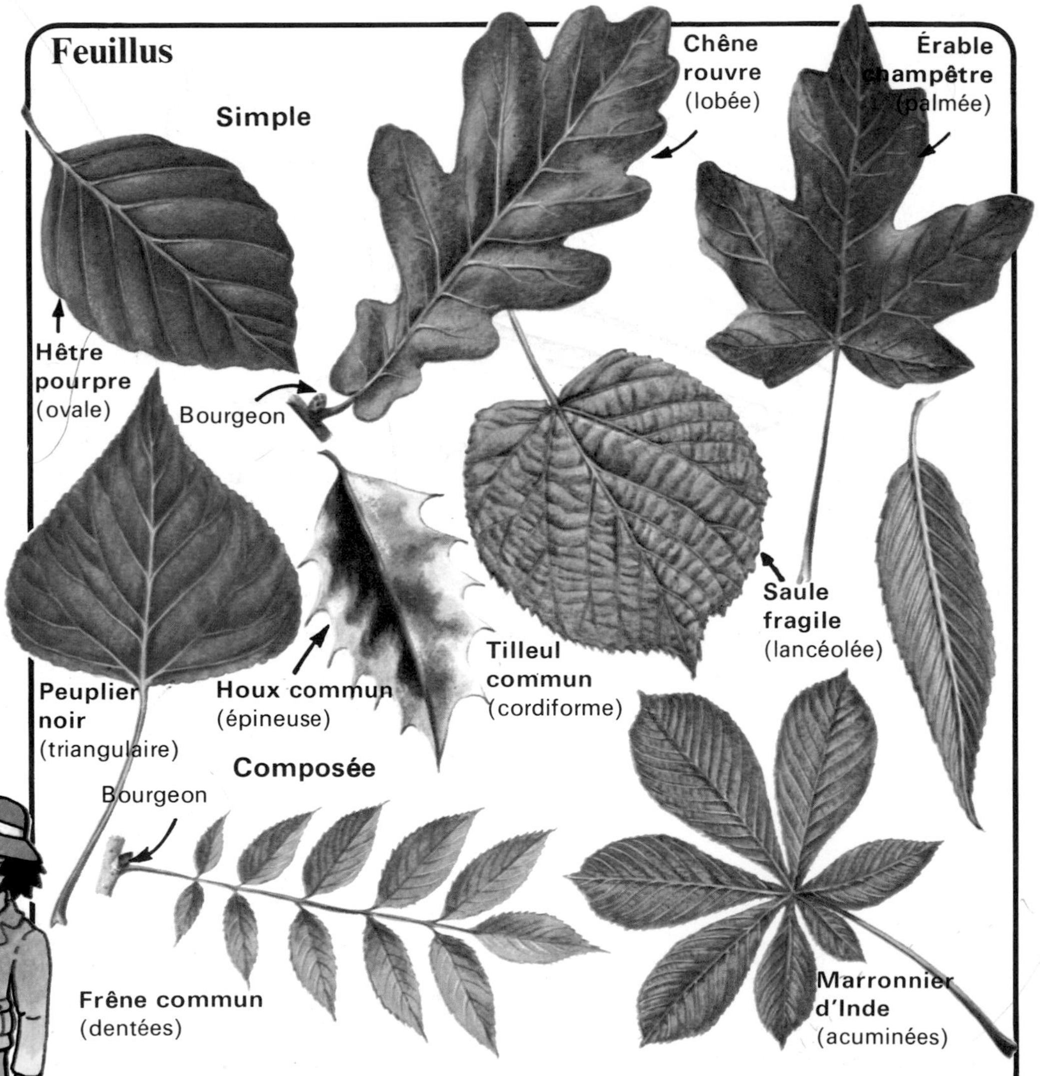

Les feuilles des Feuillus ont des formes extrêmement variées. Il en existe des simples et des composées, faites de plusieurs folioles. De même qu'une feuille simple, tu peux reconnaître une feuille composée par l'unique bourgeon situé à la base du pétiole.

Ces feuilles ne sont pas toutes représentées à la même échelle.

Répartition des feuilles sur les rameaux

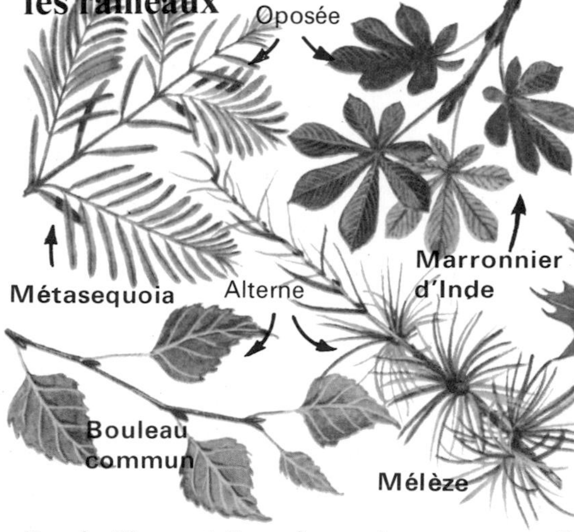

Les feuilles sont disposées sur les rameaux de diverses manières. Elles peuvent être opposées par paires, isolées et alternes de part et d'autre des rameaux.

Couleur

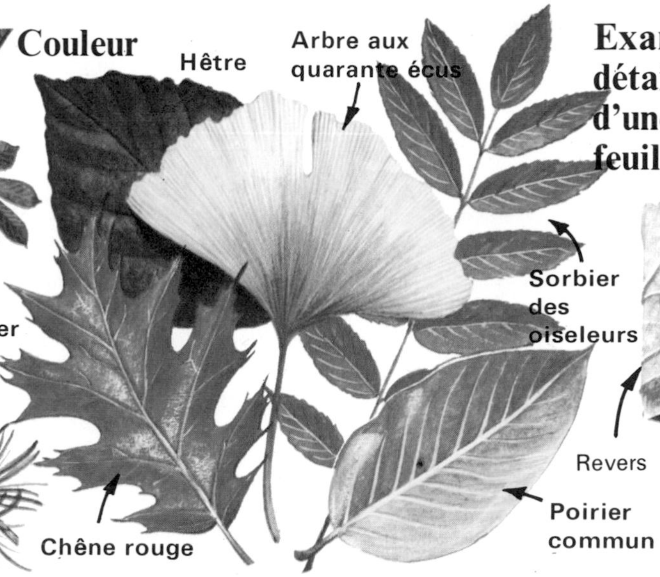

La majorité des feuilles sont vertes à cause de la chlorophylle qu'elles contiennent. En automne, la chlorophylle se dissipe. Les feuilles changent de couleur avant de tomber.

Examen détaillé d'une feuille

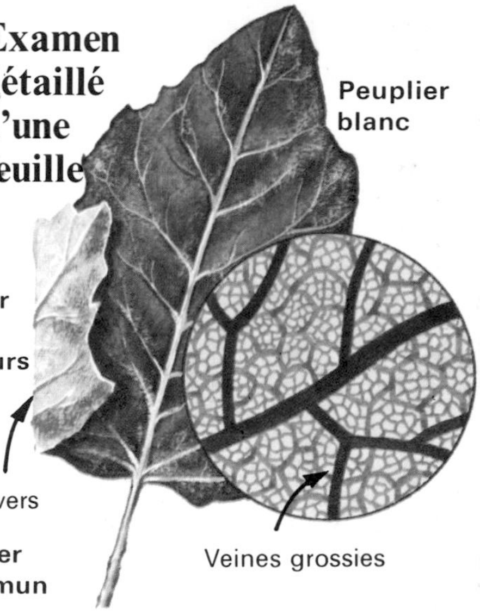

Si tu regardes attentivement une feuille, tu peux entr'apercevoir son réseau de veines. Brillante en surface pour ne pas se dessécher au soleil, elle a souvent un revers pileux.

Herbier

Indique sur un carnet le nom des feuilles que tu as trouvées. Place-les une à une entre deux feuilles de papier. Glisse ensuite le tout entre deux livres, sur lesquels tu poseras un objet pesant. N'y touche plus pendant une semaine. Quand les feuilles seront aplaties et séchées, fixe-les dans un herbier avec des morceaux de ruban adhésif. Inscris leur nom, le jour et le lieu de tes trouvailles. Essaie aussi de trouver des squelettes de feuilles, qui se sont desséchées en pourrissant et n'ont conservé que les nervures et les veines.

Moulage de feuilles

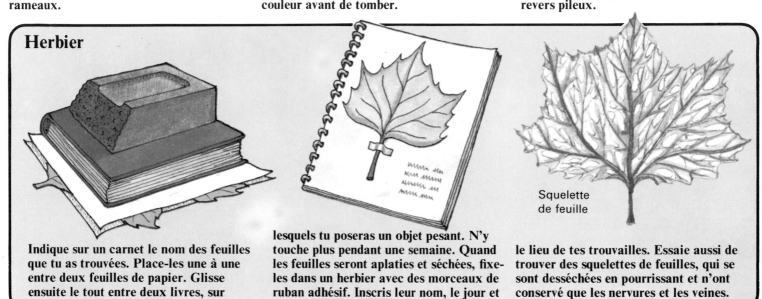

Presse la feuille sur ton moule avec un rouleau à pâtisserie.
Tu peux peindre ou vernir le moule une fois achevé.

Prépare une pâte en mélangeant:
2 tasses de farine sans levure
1 tasse de sel
1 tasse d'eau
2 cuillerées à soupe d'huile de cuisine

Pétris ta pâte en boule. Aplatis-la avec un rouleau à pâtisserie sur 2 centimètres d'épaisseur. Presse ta feuille, en appliquant directement les nervures contre la pâte pour qu'elles y laissent leur empreinte. Enlève la feuille et fais bouillir ton moule pendant deux heures environ dans un four porté à 120 °C.

Bourgeons d'hiver

En hiver, la plupart des Feuillus n'ont pas de feuilles, mais tu peux quand même les identifier grâce à leurs bourgeons.
Chaque rameau porte de nombreux bourgeons. Le bourgeon terminal, situé au sommet de la tige, contient la pousse qui se développera le mieux. En s'ouvrant, il engendre un rameau, puis une branche. Les autres bourgeons, appelés axillaires, renferment les ébauches de feuilles et de fleurs. Ce sont les bourgeons à bois et floraux. D'épaisses écailles imbriquées recouvrent la pousse et la protègent du froid et des parasites. Dans les régions où l'hiver correspond à la saison sèche, ces écailles permettent à la pousse de ne pas se dessécher. Quand ces écailles n'existent pas, les ébauches de feuilles peuvent être recouvertes de poils duveteux. Au printemps, le bourgeon se gonfle, la nouvelle pousse commence à grandir et fait éclater les écailles dures et protectrices. Chaque année, de nouvelles pousses sortent des bourgeons et donnent à leur tour, à la fin de leur période de croissance, de nouveaux bourgeons.

On trouve à l'intérieur d'un bourgeon des feuilles et des fleurs minuscules repliées. Coupe un bourgeon en deux et observe-le à la loupe.

Tu vois ici un rameau de Marronnier d'Inde de trois ans. Tu peux deviner son âge en comptant les cicatrices foliaires. Il porte de gros bourgeons marron opposés par paires aux écailles revêtues d'un enduit cireux.

Marronnier d'Inde

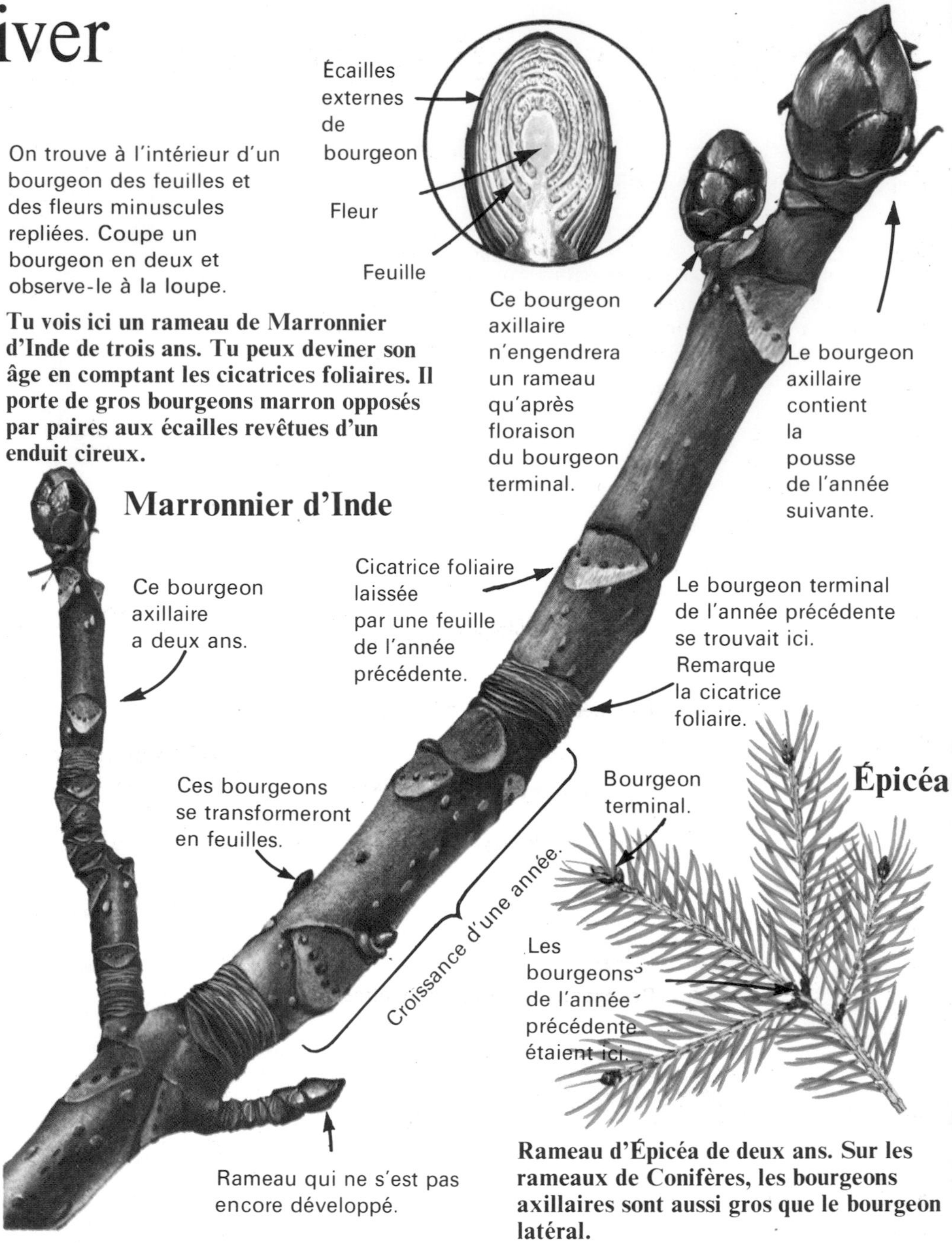

Écailles externes de bourgeon
Fleur
Feuille
Ce bourgeon axillaire n'engendrera un rameau qu'après floraison du bourgeon terminal.
Le bourgeon axillaire contient la pousse de l'année suivante.
Ce bourgeon axillaire a deux ans.
Cicatrice foliaire laissée par une feuille de l'année précédente.
Le bourgeon terminal de l'année précédente se trouvait ici. Remarque la cicatrice foliaire.
Ces bourgeons se transformeront en feuilles.
Croissance d'une année.
Rameau qui ne s'est pas encore développé.

Épicéa

Bourgeon terminal.
Les bourgeons de l'année précédente étaient ici.

Rameau d'Épicéa de deux ans. Sur les rameaux de Conifères, les bourgeons axillaires sont aussi gros que le bourgeon latéral.

1 Forçage d'un bourgeon chez toi

2

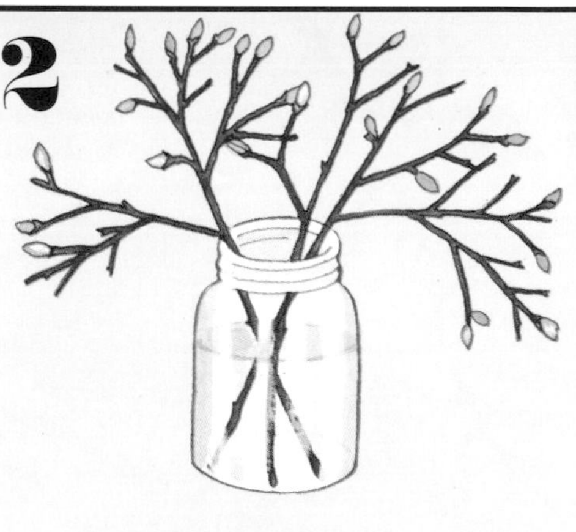

3

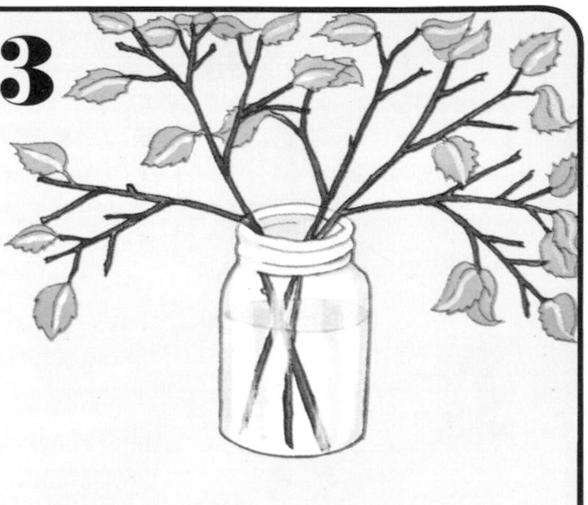

Tu peux «forcer» l'éclosion d'un bourgeon en hiver ou au début du printemps en l'emportant chez toi. Choisis de préférence des bourgeons de Marronnier d'Inde, de Bouleau, de Saule ou de Forsythia. Coupe les rameaux avec un sécateur. Mais surtout ne les casse pas! Demande toujours au propriétaire l'autorisation de les couper, et n'en prends pas trop. Mets-les dans l'eau près d'une fenêtre bien éclairée et attends que les bourgeons éclatent.

Identification des bourgeons d'hiver

Que dois-tu regarder?

Si tu essaies d'identifier un arbre par ses bourgeons d'hiver, tu verras combien ils peuvent être différents les uns des autres. Voici quelques questions utiles à tes recherches:
1. Comment les bourgeons sont-ils disposés sur le rameau? Comme les feuilles, les bourgeons peuvent être opposés par paires, isolés ou alternes.
2. Quelle est la couleur des bourgeons et du rameau?
3. Quelle est la forme du rameau? Les bourgeons sont-ils pointus ou arrondis?
4. Le bourgeon est-il couvert de poils ou d'écailles? Si ce sont des écailles, combien y en a-t-il? Le bourgeon est-il collant?

Robinier faux acacia. Epines hérissées près de minuscules bourgeons alternes.

Orme. Rameau tortueux. Bourgeons alternes rouge-brun.

Tilleul. Rameau tortueux. Bourgeons alternes, rougeâtres, à deux écailles.

Noyer commun. Gros rameau creux. Bourgeons alternes, gros, noirs, veloutés.

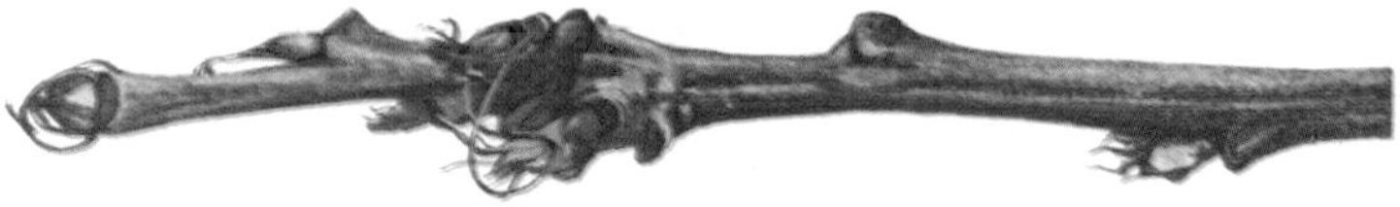

Chêne chevelu. Faisceau de bourgeons alternes, chevelus.

Merisier des bois. Gros bourgeons brillants, rouges, groupés à l'extrémité du rameau.

Magnolia. Enormes bourgeons pubescents gris-vert.

Frêne commun. Rameau lisse, gris. Gros bourgeons opposés, noirs.

Sycomore. Gros bourgeons verts, couverts d'écailles bordées de noir.

Hêtre commun. Rameau grêle. Bourgeons alternes, épineux et pointus, bruns.

Saule. Rameau grêle. Bourgeons alternes proches du rameau.

Aune. Bourgeons alternes, pédonculés, pourpres, portant souvent des chatons mâles.

Peuplier blanc. Rameau et bourgeons alternes couverts d'un duvet blanc.

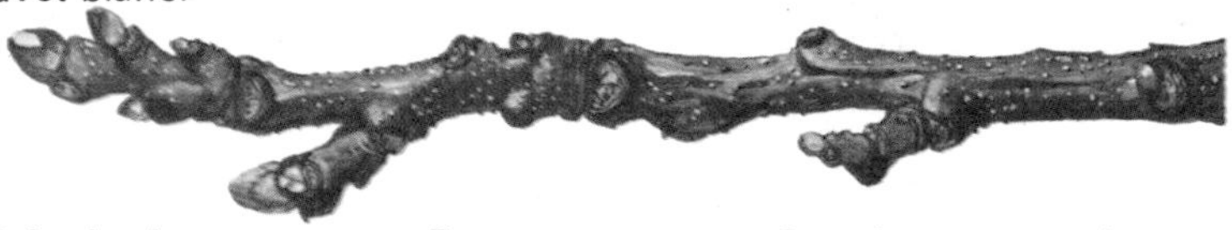

Châtaignier commun. Rameaux noueux. Gros bourgeons alternes rougeâtres.

Platane. Bourgeons alternes coniques. Cicatrice foliaire autour du bourgeon.

Alisier. Bourgeons alternes, ovoïdes, verts.

Ces rameaux sont dessinés grandeur nature

Forme

C'est en hiver que tu verras le mieux la forme des Feuillus, car leurs branches sont dépouillées de feuilles. Tous les arbres ont, suivant la disposition de leurs branches, une forme distincte qui t'aidera à les reconnaître. Dessine, pour t'entraîner, quelques croquis de leur

silhouette à l'occasion d'une promenade.

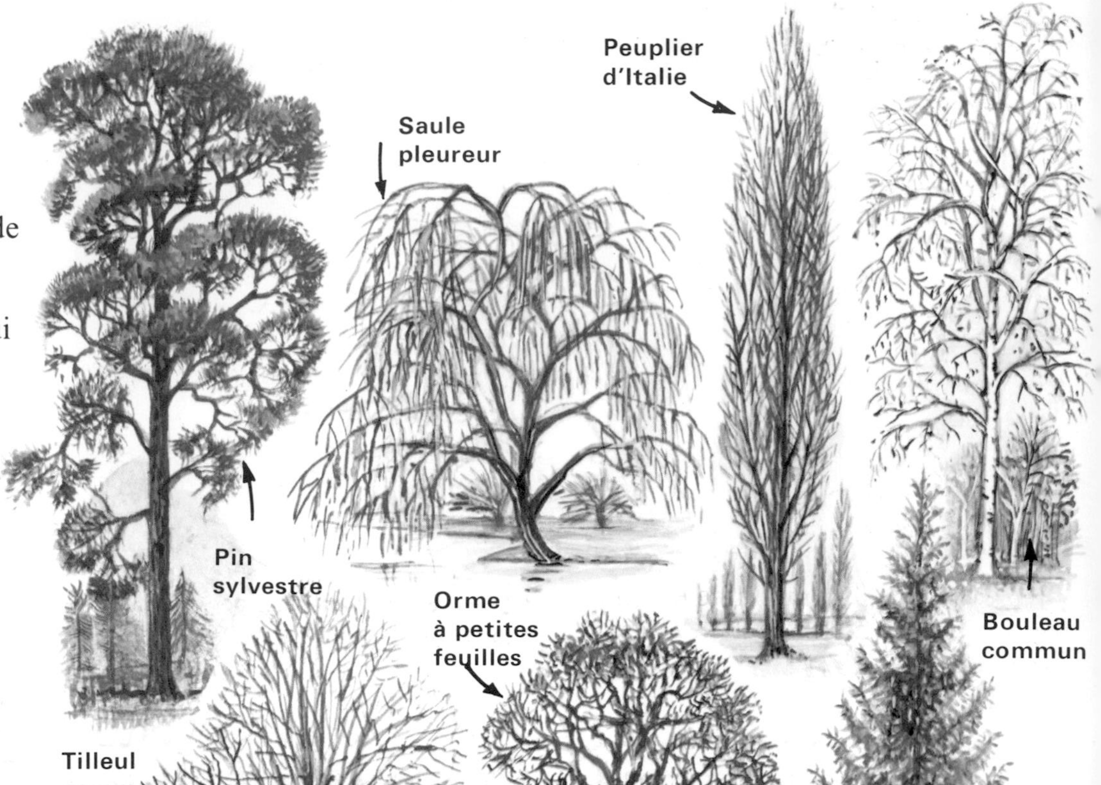

Comment les arbres acquièrent-ils leur forme?

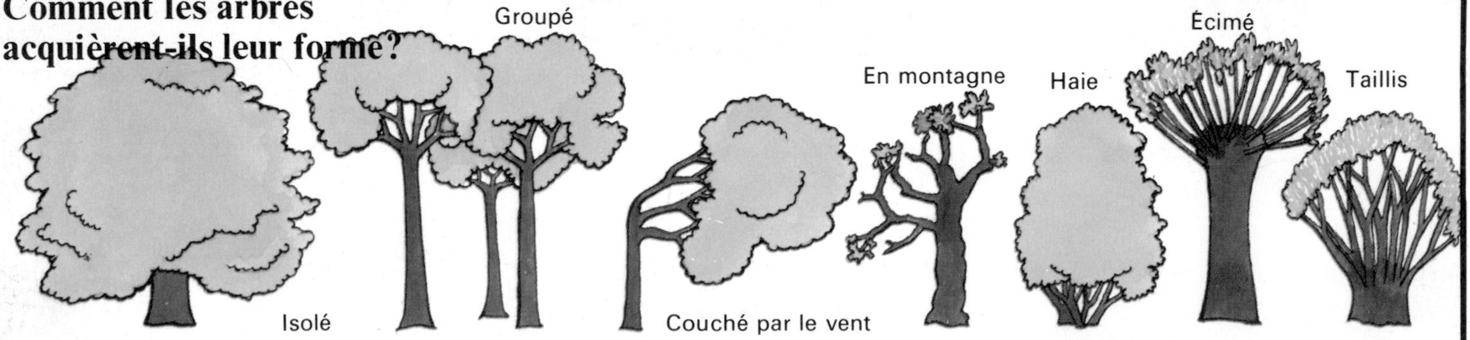

Quand ils sont isolés, les arbres essaient de se déployer en une grande couronne ou cime pour que leurs feuilles reçoivent le plus de lumière possible. Groupés, ils poussent en hauteur pour se tendre vers la lumière. Mais le temps également change leur forme. Sous des rafales de vent soufflant dans la même direction, ou des vents marins chargés de sel, ils s'inclinent d'un côté. En montagne, où les vents sont froids et desséchants, ils se rabougrissent et deviennent noueux. On peut également les tailler ou les couper dans un but déterminé: en faire des haies, les écimer, c'est-à-dire les tailler sur 2 mètres de haut, ou les couper en taillis au ras du sol pour laisser les racines se ramifier.

Écorce

Le tronc d'un arbre est extérieurement recouvert d'une couche d'écorce dure et résistante. Elle permet à l'arbre de ne pas se dessécher ou d'être attaqué par des insectes ou divers animaux. Elle l'isole aussi des pointes de chaleur et de froid. Sous cette écorce se trouvent des tubes qui transportent la nourriture (sève) et qui risquent de s'abîmer si on arrache l'écorce. Dans ce cas, l'arbre peut mourir. L'écorce d'un arbre jeune est fine et lisse, mais elle s'épaissit et se crevasse avec l'âge.

L'écorce du Bouleau se détache en lamelles minces.

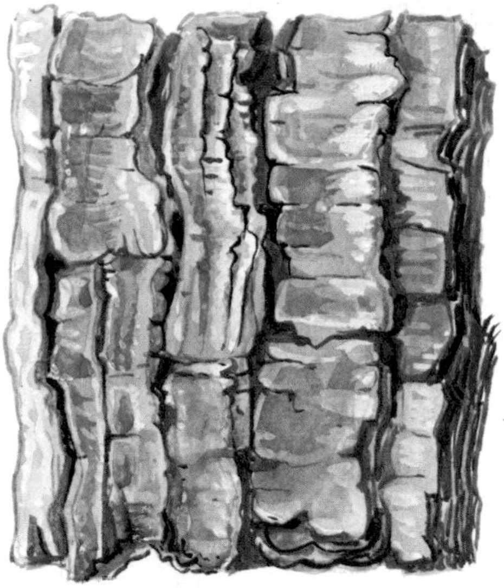

L'écorce du Chêne rouvre porte de profondes gerçures et crevasses.

Comment se forment les motifs de l'écorce?

L'écorce morte éclate,
tandis que la nouvelle écorce
se forme en dessous.

L'écorce est formée d'un tissu mort qui ne peut pousser ou s'étirer. Comme le bois interne croît en épaisseur, l'écorce éclate, s'écaille ou se craquelle suivant l'espèce.

L'écorce du Pin sylvestre s'écaille par plaques irrégulières.

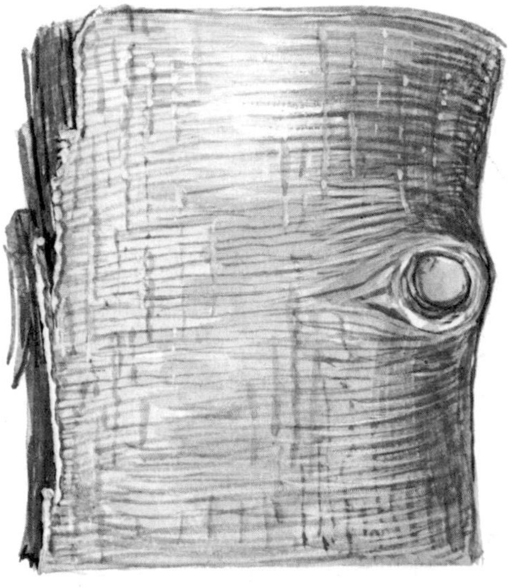

L'écorce du Hêtre commun, fine et lisse, se fissure en petits morceaux.

1 Calque d'écorce

2

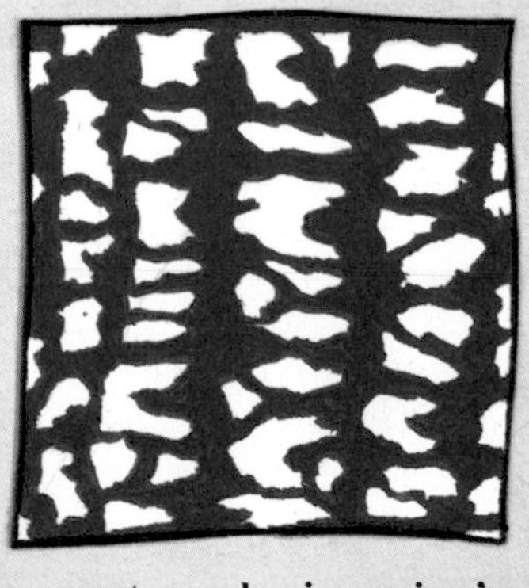

Pour prendre des empreintes d'écorce, utilise une feuille de papier mince mais résistante, du ruban adhésif, des bâtonnets de cire ou de la poix de cordonnier. Attache la feuille contre l'arbre. Frotte énergiquement avec la cire mais n'arrache pas le papier. Tu verras peu à peu apparaître les motifs de l'écorce. Tu peux aussi frotter le papier avec de la paraffine. Chez toi, peints ton calque. Les motifs de l'écorce resteront blancs.

Chêne-liège

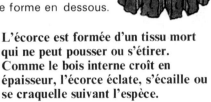

L'écorce du Chêne-liège est si épaisse qu'on peut l'enlever sans blesser l'arbre. On utilise le liège de diverses façons, entre autres pour garder l'humidité ou comme matériau isolant.

Fleurs

Tous les arbres portent des fleurs à différentes époques de l'année de manière à fabriquer des graines qui puissent engendrer de nouveaux arbres.
Les fleurs ont des tailles, des formes, des couleurs très différentes. Elles possèdent des organes reproducteurs mâles appelés étamines et femelles appelés pistil. Les étamines élaborent le pollen, tandis que le pistil contient les ovules. Quand un grain de pollen vient se déposer sur l'ovule du pistil, la fleur est fécondée. Elle se transforme alors en fruit (voir pages 16-17) qui contient les graines.
Les fleurs qui possèdent un pistil et des étamines réunis sont dites parfaites. Sur certains arbres, pistil et étamines se trouvent sur des fleurs séparées. L'If, le Houx et le Saule ont des fleurs mâles et femelles sur des arbres complètement distincts. Seuls les arbres femelles peuvent porter des fruits.
Les fleurs femelles, comme les fleurs mâles, poussent ensemble par bouquets. Ces bouquets peuvent être coniques ou longs et pendants.

Parties d'une fleur

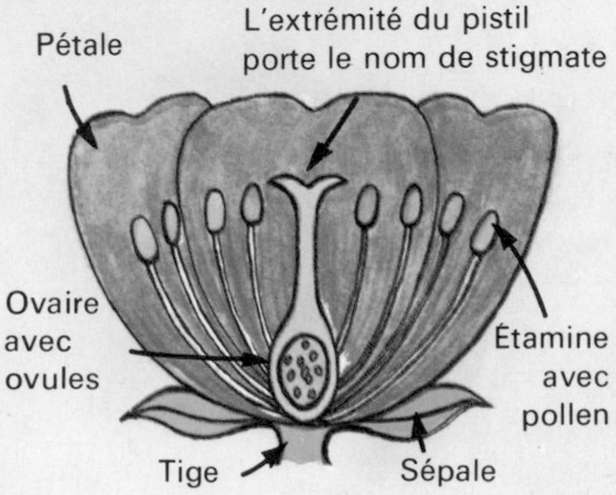

Coupe de fleur de Cerisier, fleur parfaite type: elle possède à la fois des éléments mâle et femelle.

Mélèze d'Europe

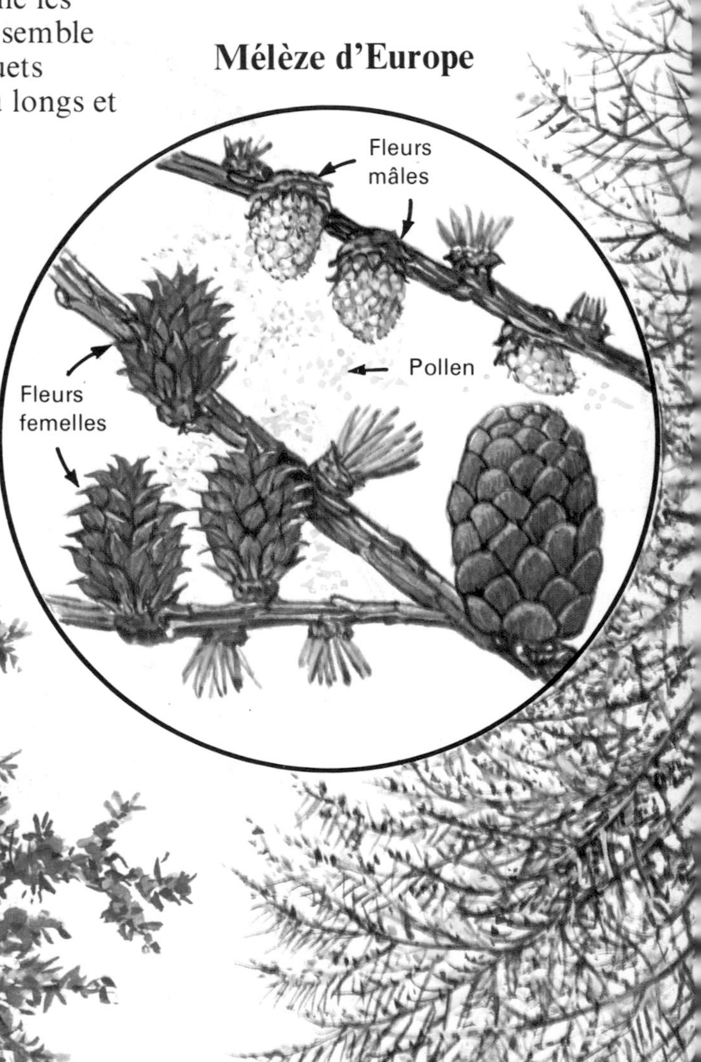

Cerisier du Japon

Le Cerisier du Japon porte des fleurs voyantes parfaites qui attirent les insectes. Le pistil et les étamines, bien que réunis dans chaque fleur, ne parviennent pas à maturité en même temps. Les fleurs ne risquent pas ainsi de se polliniser elles-mêmes. La pollinisation croisée donne des graines plus saines.

Comme la plupart des Conifères, le Mélèze porte des fleurs mâles et femelles séparées sur le même arbre. Les fleurs femelles se tiennent dressées sur les branches les plus hautes tandis que les fleurs mâles sont renversées. Le vent transporte le pollen jusqu'aux fleurs femelles qui se transforment en cônes dès qu'elles sont fécondées.

Pollinisation

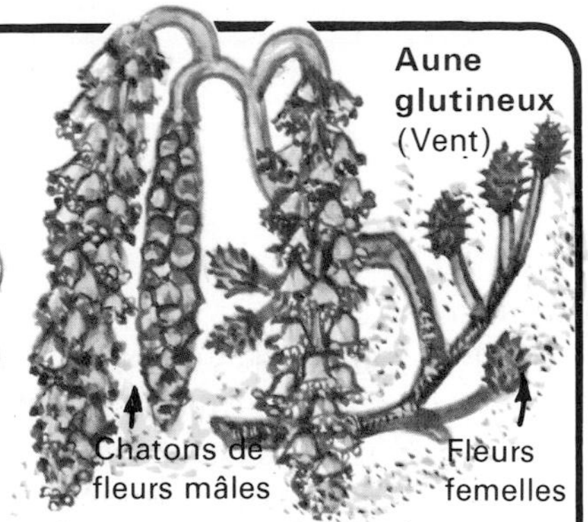

Certaines fleurs sont pollinisées par des insectes qui, venus les butiner, ramassent accidentellement sur leur corps du pollen qu'ils déposent ensuite sur d'autres fleurs. La plupart des chatons et des fleurs des Conifères sont pollinisés par le vent. N'ayant pas besoin d'attirer les insectes, les fleurs sont petites et pâles. Par contre, leurs étamines sont longues pour se trouver sur la trajectoire du vent; leurs stigmates sont collants pour mieux attraper le pollen.

Fécondation

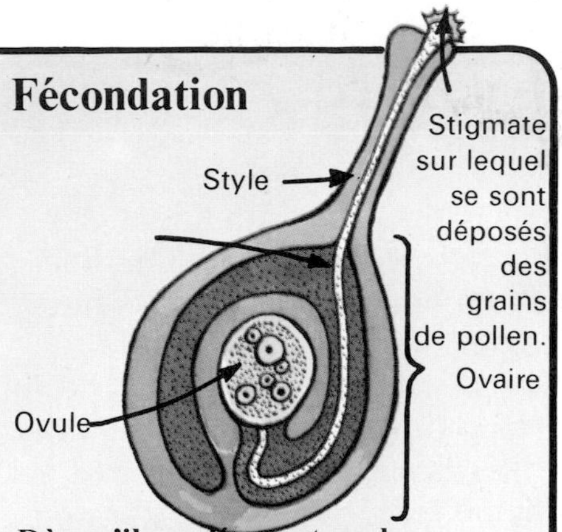

Dès qu'ils se déposent sur le stigmate, les grains de pollen descendent dans le style pour atteindre l'ovaire. Ils y fécondent les ovules, qui se transforment ensuite en graines.

Saule fragile

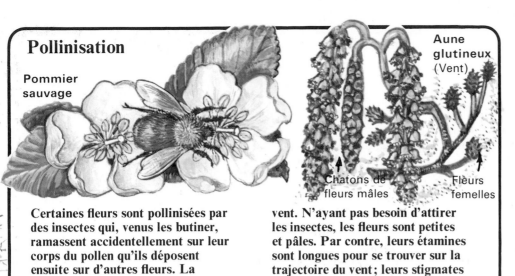

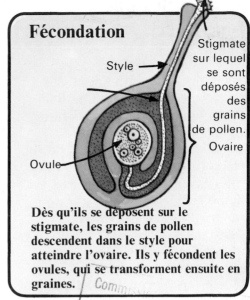

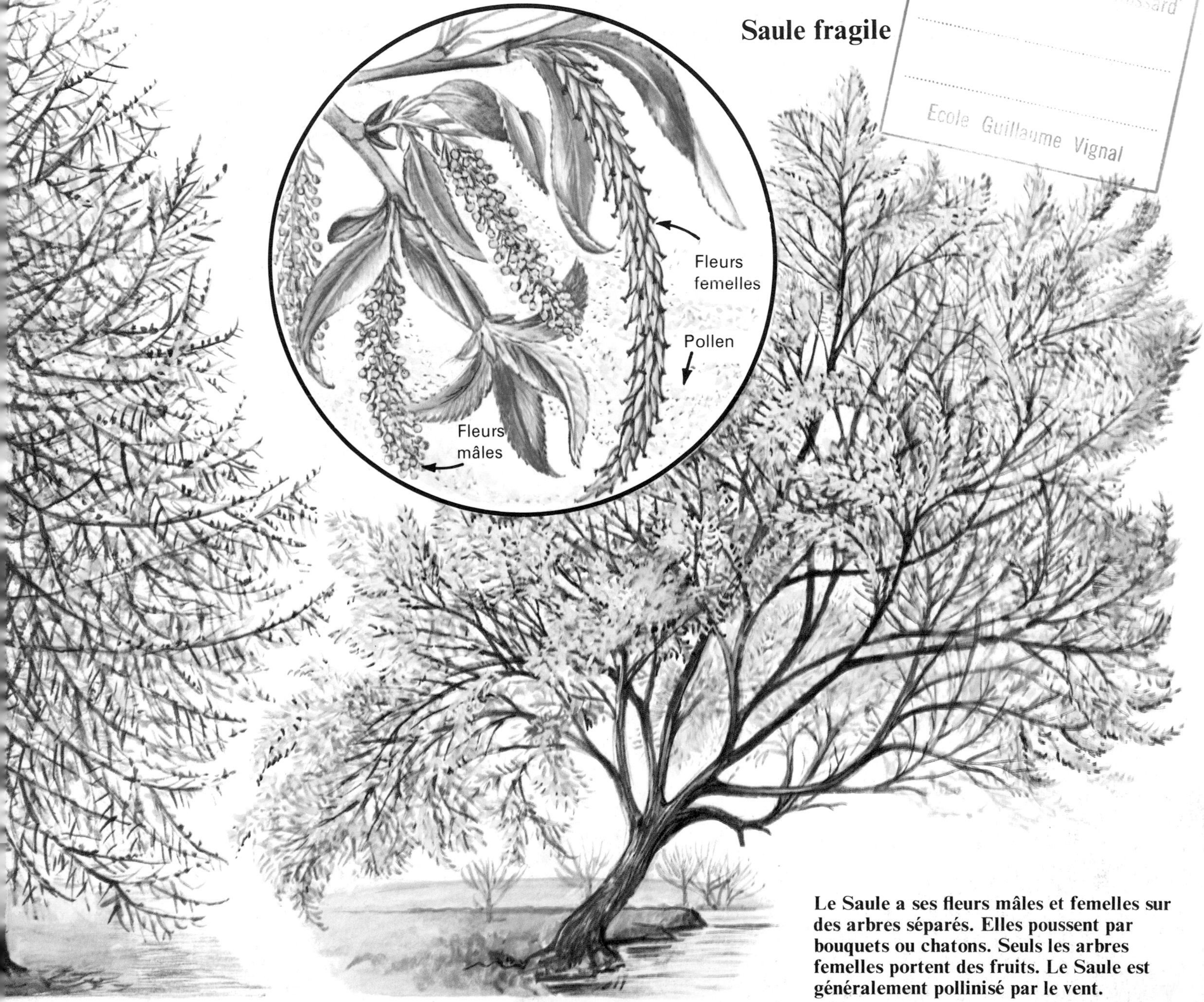

Le Saule a ses fleurs mâles et femelles sur des arbres séparés. Elles poussent par bouquets ou chatons. Seuls les arbres femelles portent des fruits. Le Saule est généralement pollinisé par le vent.

Fruits et graines

Les fruits qui contiennent des graines proviennent de fleurs fécondées. Les marrons d'Inde, renfermés dans une cupule hérissée de piquants, sont, comme les pommes, des fruits. Bien que différents d'aspect, ils jouent le même rôle: protéger les graines qui y sont contenues et les disperser dans un endroit où elles puissent pousser.
Les Conifères portent des fruits dont les graines sont à nu mais retenues dans un cône écailleux. Les Feuillus ont des fruits qui entourent complètement leurs graines. C'est le cas des noix, des baies, des fruits doux, etc.
De nombreux fruits et cônes sont attaqués par des insectes, touchés par diverses maladies, dévorés par des oiseaux et des animaux. Parfois même, ils tombent avant de pouvoir mûrir. En général, les graines enfermées dans des fruits mûrissent en automne.
La dispersion des graines se fait grâce aux oiseaux, à certains animaux, au vent ou à l'eau. Seules quelques graines réussissent à germer dans un endroit approprié. Très peu d'entre elles parviennent à survivre.

Comment mûrit un cône

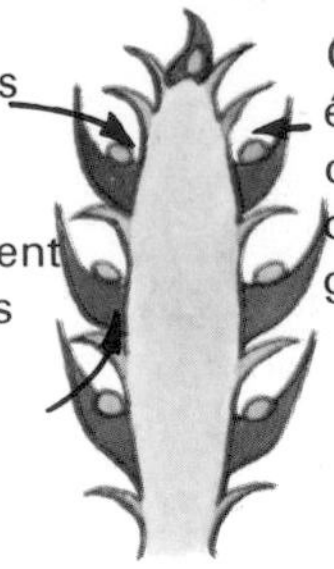

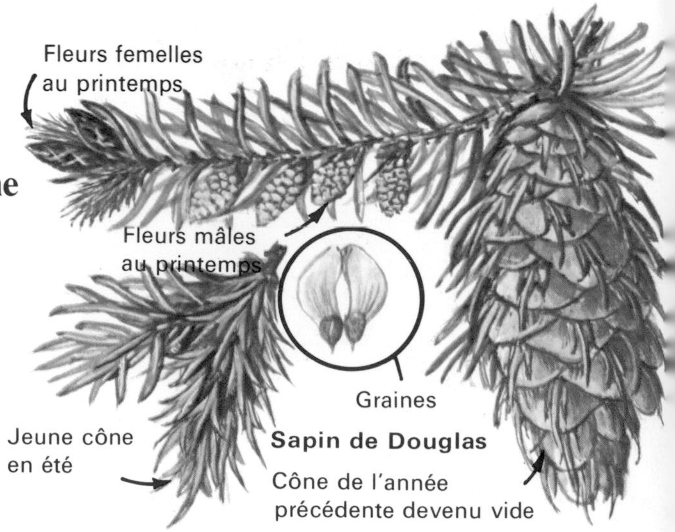

Les cônes se développent à partir des fleurs femelles. Après la pollinisation, les écailles durcissent et se resserrent. Souvent, la tige s'incline et les cônes pendent. Ils virent alors du vert au brun. Par temps chaud et sec, les graines mûrissent et les écailles s'ouvrent. Les graines, extrêmement légères, s'envolent en tourbillonnant. Les cônes restent pour la plupart accrochés à l'arbre une année entière. D'autres mettent deux ans pour mûrir. Certains même restent fixés sur les branches longtemps après que les graines sont tombées.

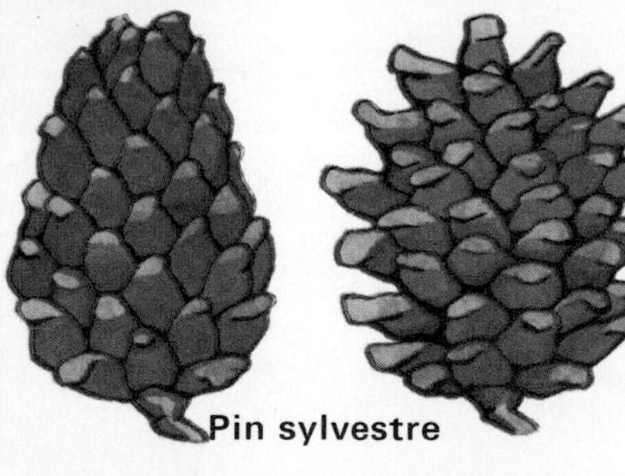

Les cônes s'ouvrent par temps chaud et sec pour libérer leurs graines. Par temps humide, les écailles se referment. Trouve un cône et fais-le s'ouvrir en le plaçant près d'un radiateur. Place-le ensuite dans un endroit humide: il se refermera.

Fruits des Conifères

La plupart des cônes portent des écailles ligneuses et atteignent de 1 à 35 centimètres. Ils peuvent peser jusqu'à 2 kilos. En voici quelques spécimens:

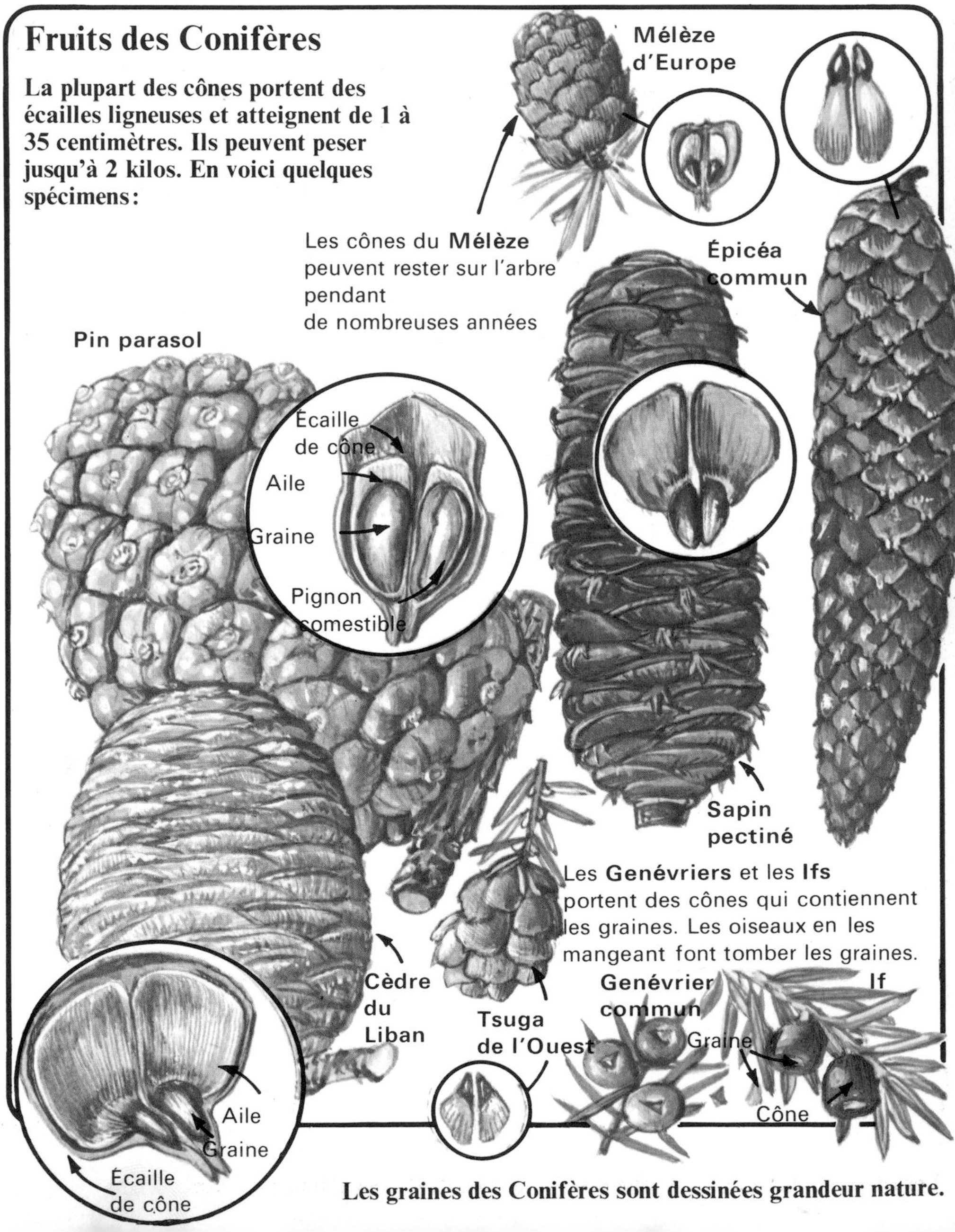

Les graines des Conifères sont dessinées grandeur nature.

Comment mûrit une pêche

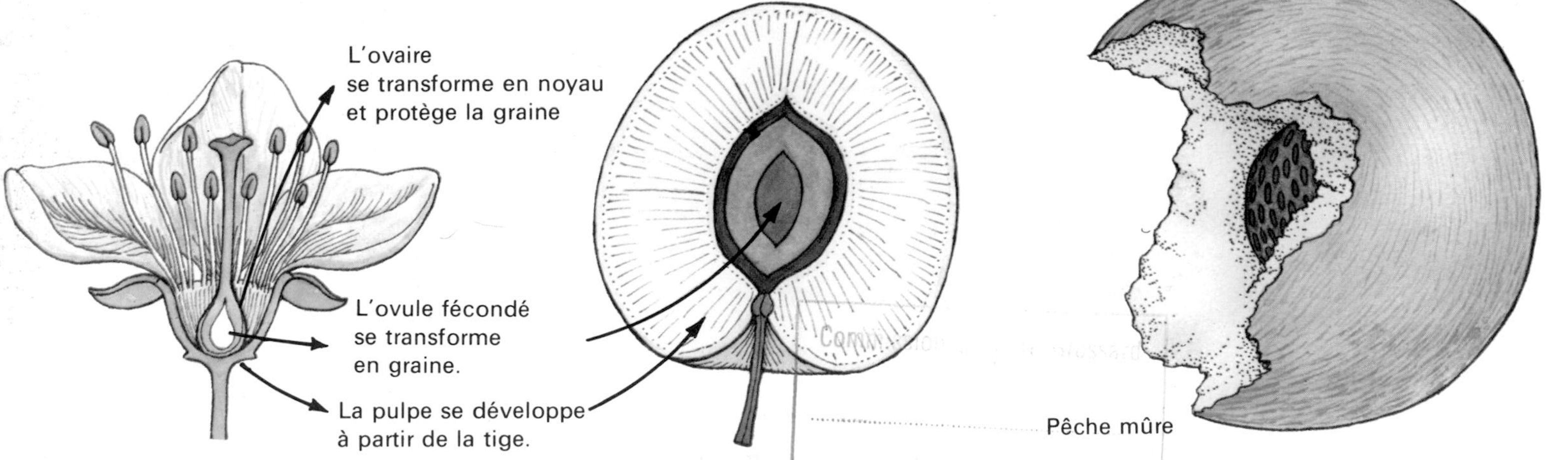

Tu peux voir sur ces schémas comment les différentes parties d'une fleur se transforment en fruit. L'eau qui remonte de la tige et le soleil font gonfler la partie charnue du fruit ou pulpe. En mûrissant, le fruit prend une couleur rose doré et s'attendrit. Ses couleurs vives et son odeur attirent des animaux ou des gens qui, après avoir savouré la pulpe, jettent le noyau.

Fruits des Feuillus

Les Feuillus produisent toutes sortes de fruits: noix recouvertes d'une coque externe dure; glands; fruits doux; cosses. Certains fruits ont des ailes ou sont hérissés de poils.

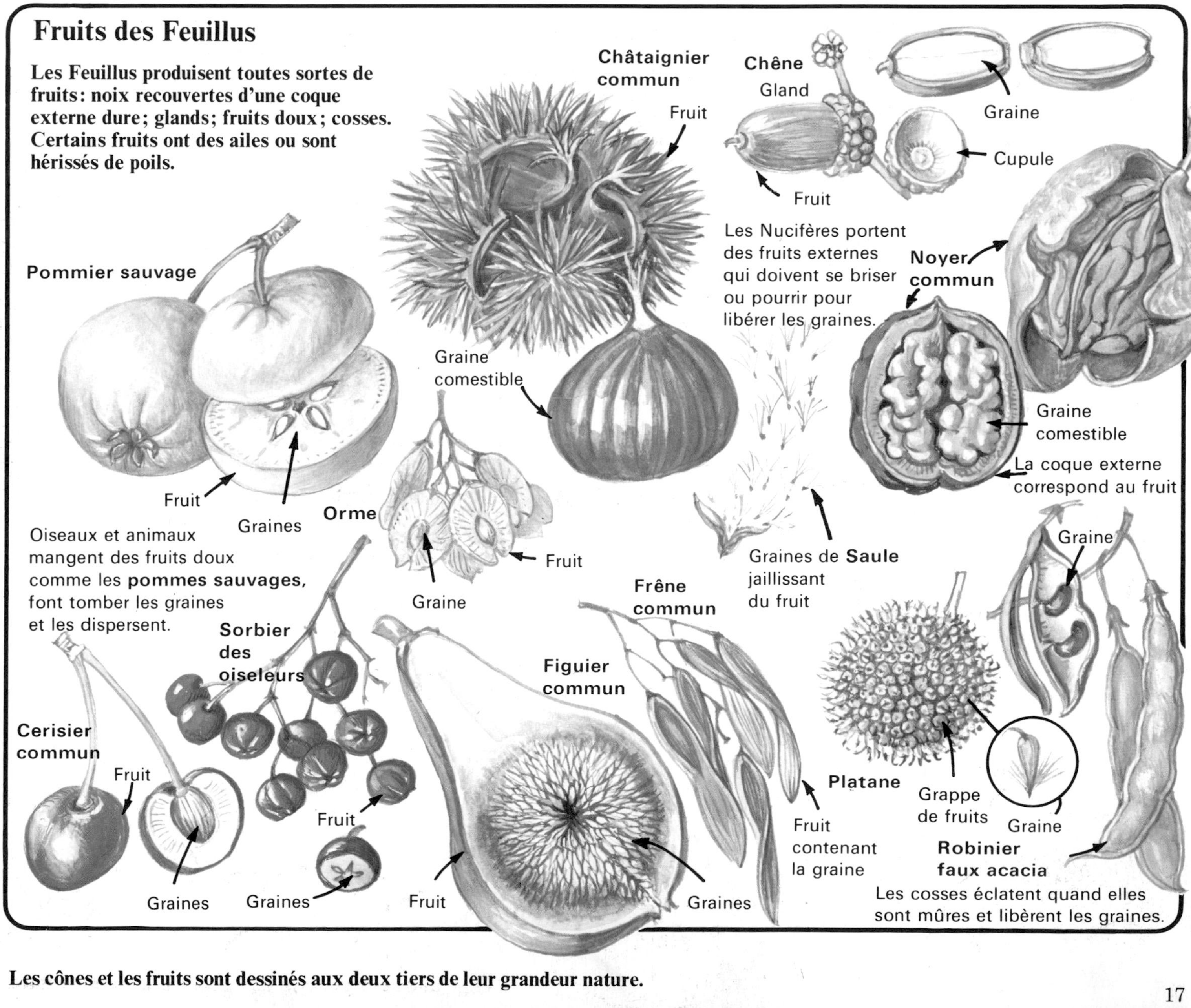

Les cônes et les fruits sont dessinés aux deux tiers de leur grandeur nature.

Mise en culture d'un plant

Essaie de faire pousser toi-même un arbre à partir d'une graine. Cueille dans les arbres des graines mûres ou ramasse-les sur le sol si elles sont fraîches. La durée de germination d'une graine varie : celle d'un gland dure par exemple deux mois environ. Certaines graines, celles des Conifères notamment, restent parfois à terre pendant plus d'une année.

Ce qu'il te faut

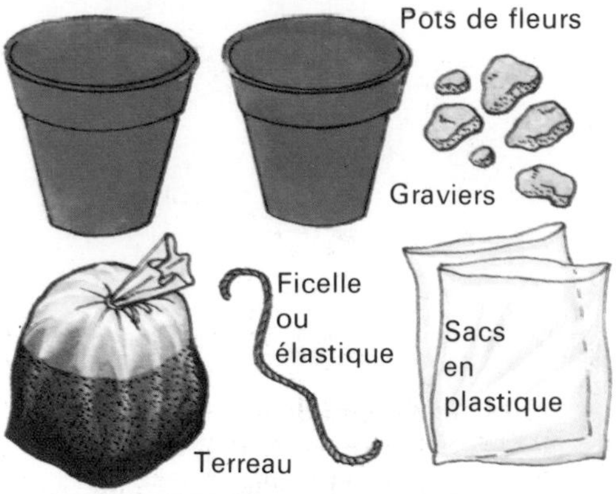

Que planter ?

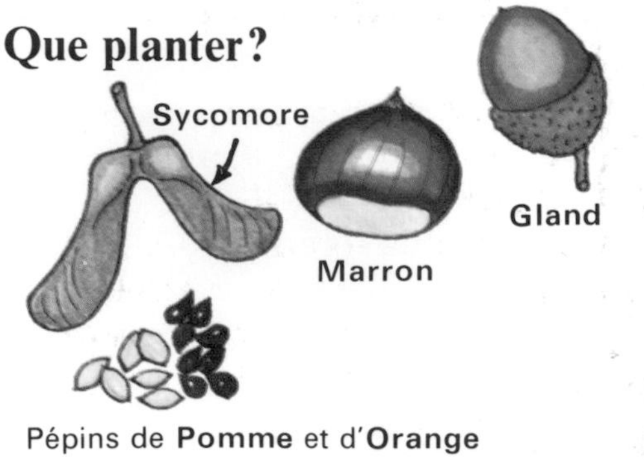

Voici quelques graines qui sont faciles à planter. Les glands donnent eux aussi de bons résultats, mais libre à toi !

Fais tremper des glands ou des noix dures dans de l'eau chaude toute une nuit. Si tu le peux, détache la coque externe rigide, mais n'essaie pas de la couper.

Garnis le pot d'une poignée de graviers. L'eau pourra ainsi mieux s'écouler. Pose le pot sur une soucoupe.

Verse un peu de terreau ou de compost sur les graviers pour remplir le pot aux deux tiers. Humecte le terreau sans le détremper.

Place tes glands ou tes graines sur la surface du terreau. Ne mets qu'un gland par pot car il leur faut beaucoup de place pour pousser.

Recouvre tes glands ou tes graines d'une couche de terreau de 5 centimètres d'épaisseur.

6
Attache le plastique avec une ficelle ou un élastique.

Recouvre le pot d'un sac en plastique et attache-le. La terre restera humide sans arrosage. Mets ton pot dans un endroit ensoleillé et attends.

Dès que tu vois le plant apparaître, retire le sac en plastique. Arrose ton plant une ou deux fois par semaine. Le terreau doit rester tout juste humide.

Mets ton plant dehors en été si tu le peux. En automne, tu pourras le planter en pleine terre (ou le laisser dans son pot).

Creuse un trou plus large que le pot. Retire doucement le plant de son pot avec sa motte de terre. Plante-le dans le trou, tasse la terre en surface et arrose correctement.

Sylviculture

Des arbres ont poussé sur terre pendant 350 millions d'années. Jadis, le sol était couvert de forêts naturelles, que l'on a progressivement coupées pour le bois d'œuvre et dégagées à des fins de culture. On a replanté de nouvelles forêts pour remplacer les arbres abattus. On appelle plantation une forêt que l'homme a lui-même plantée.

Semis

On sème les graines sur des couches de semis. Dès qu'ils atteignent 15 à 20 centimètres de haut, on repique les plants par rangées sur une autre couche pour leur ménager de la place. Il faut désherber régulièrement.

Plantation

Quand ils mesurent 50 centimètres de haut, on transplante les plants en forêt que l'on a défrichée et labourée. Chaque hectare peut contenir 2 500 arbres.

Sur cette photographie et les deux encarts ci-dessus, tu trouveras retracée l'histoire d'une plantation de Sapins de Douglas et des soins que les forestiers prodiguent aux arbres.

Des tours à incendie bâties sur les collines permettent de repérer les foyers d'incendie — le pire ennemi des forêts. Une allumette ou un feu de camp mal éteints peuvent être à l'origine d'un incendie.
On peut, du haut d'hélicoptères, pulvériser les arbres d'herbicides ou les traiter avec des engrais.
Dès qu'ils sont abattus, les arbres sont transportés jusqu'aux scieries pour être coupés.
Au bout de quelques années, on coupe les arbres les plus fragiles pour ménager de la lumière et de la place aux plus vigoureux. Les bois de déchet servent à la confection de piquets ou de pâte à papier.
Les branches mortes et basses sont détachées des arbres. On réduit ainsi les risques d'incendie et on arrête la formation des nœuds dans le bois.
On abat les arbres quand ils sont adultes (70 ans environ pour les Conifères et 150 ans pour les Feuillus). Un arbre sur dix environ atteint sa pleine croissance.

Anneaux annuels

L'écorce recouvre un bois fait de plusieurs couches (voir page 7). Chaque année, le cambium produit vers l'intérieur un anneau qui s'épaissit. On appelle cette couche anneau annuel. Le bois initial ou bois de printemps est clair et contient de gros tubes qui transportent la sève. Le bois final ou bois d'été est plus foncé et résistant. Durant les années pluvieuses, les couches sont épaisses et les anneaux larges. Mais elles sont étroites pendant les années sèches ou si les arbres ne sont pas éclaircis.

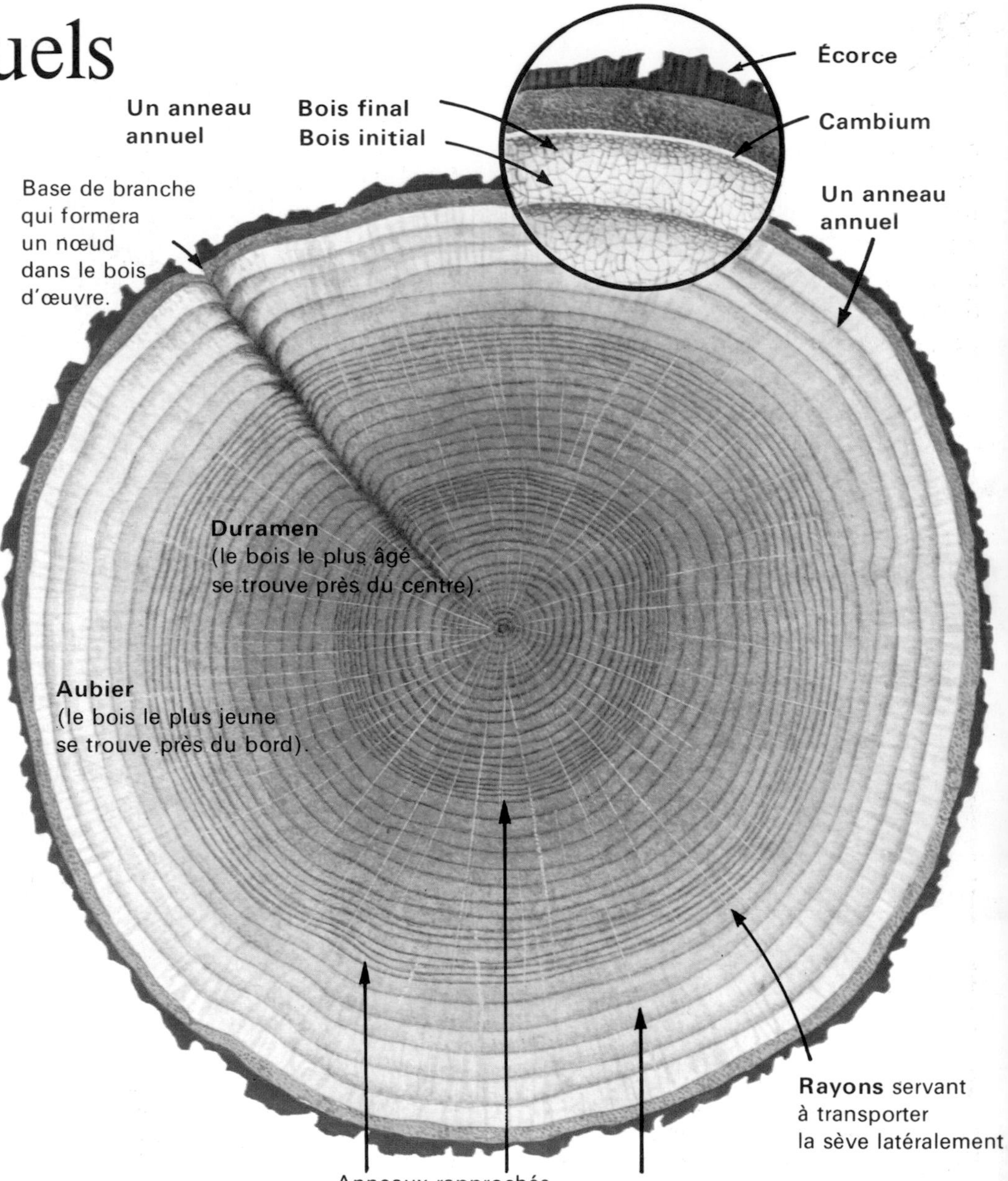
Un anneau annuel
Bois final
Bois initial
Écorce
Cambium
Un anneau annuel
Base de branche qui formera un nœud dans le bois d'œuvre.
Duramen (le bois le plus âgé se trouve près du centre).
Aubier (le bois le plus jeune se trouve près du bord).
Rayons servant à transporter la sève latéralement
Anneaux rapprochés formés quand les arbres étaient tassés ou pendant une période de sécheresse.
Anneaux espacés formés après éminçage au bout de six ans.

Coupe d'un tronc vieux d'une quarantaine d'années

Palmiers

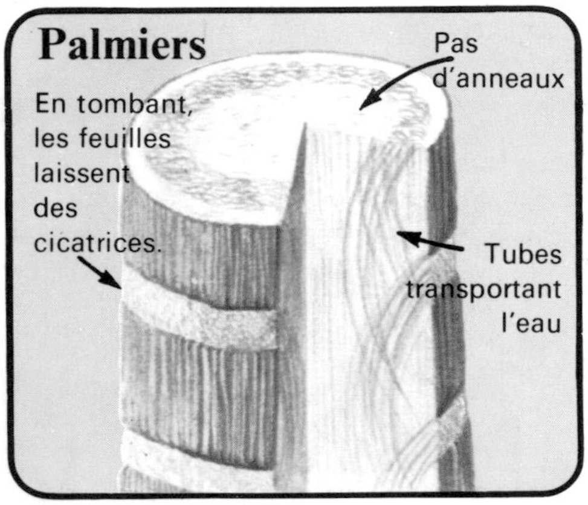
Pas d'anneaux
En tombant, les feuilles laissent des cicatrices.
Tubes transportant l'eau

Les Palmiers n'ont pas d'anneaux annuels car ils sont dépourvus de cambium. Leurs troncs ressemblent à des tiges géantes qui ne s'épaississent pas.

Quel est l'âge d'un arbre?

Cicatrice foliaire

Tu peux découvrir l'âge d'un arbre en comptant ses anneaux annuels sur une souche. Les anneaux foncés du bois final sont les plus faciles à compter. Les rameaux eux aussi possèdent des couches annuelles. Coupe un rameau en biais et compte ses anneaux. Compte ensuite les cicatrices foliaires. Est-ce qu'ils correspondent?

Comment tester un bois?

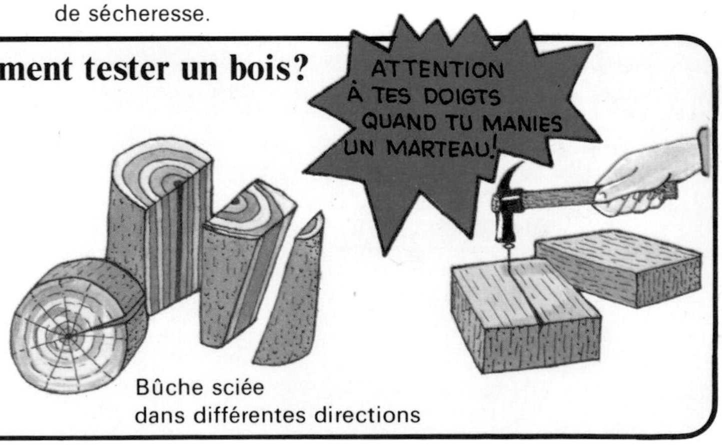
ATTENTION À TES DOIGTS QUAND TU MANIES UN MARTEAU!
Bûche sciée dans différentes directions

Scie une petite bûche de différentes façons et regarde les motifs qui s'y dessinent. Vérifie la résistance des différents bois en y enfonçant des clous à coups de marteau.

Bois

Suivant les espèces, le bois change également de couleur et de motifs intérieurement. Certains types de bois se prêtent mieux que d'autres à certains usages. Le bois tendre des Conifères s'utilise surtout pour le bois de construction et la confection de la pâte à papier. Le bois dur des Feuillus convient davantage à l'ameublement. Dans les scieries, le bois se coupe en fonction de leur utilisation future. On en fait des planches de taille différente ou de la pâte à papier.

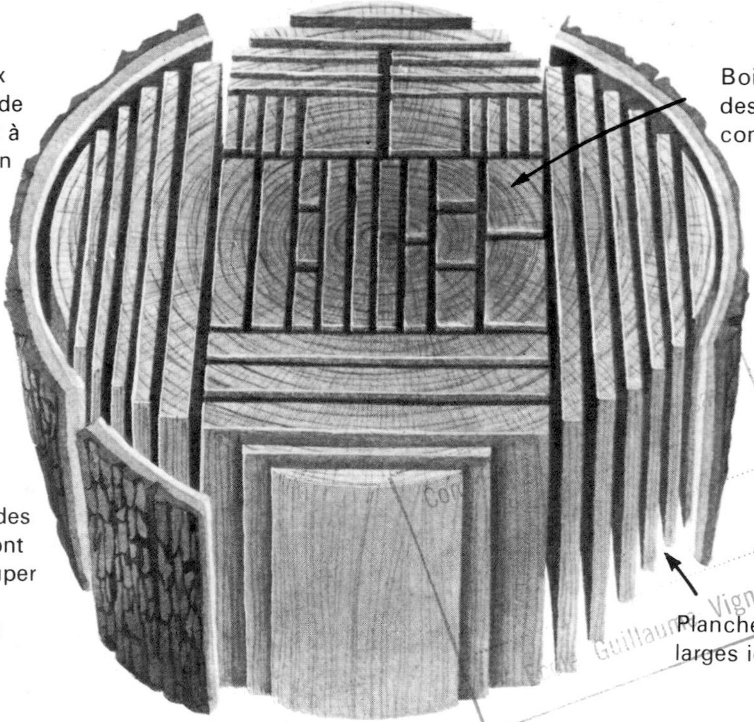

Les copeaux d'écorce et de bois servent à la fabrication de la pâte à papier.
Bois résistant destiné à la construction.
Voici l'une des manières dont on peut couper un tronc en planches de tailles différentes.
Planches larges ici.

Grain

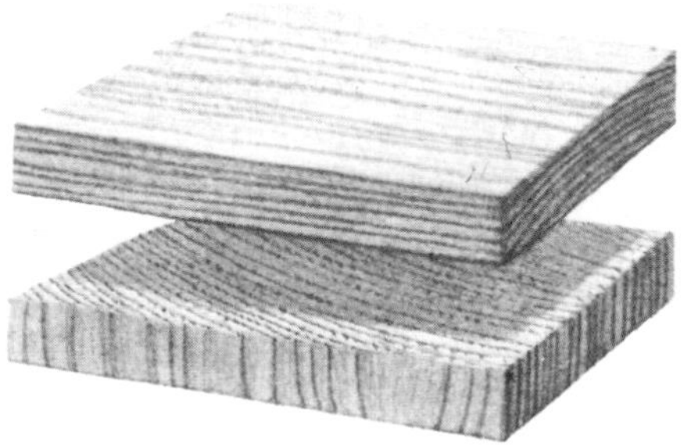

Dans le sens du grain
En travers du grain

Quand on découpe une planche dans une bûche, les anneaux annuels forment des lignes verticales ondulées ou rectilignes. C'est ce que l'on appelle le grain. Le bois coupé dans le sens du grain est plus robuste.

Nœuds

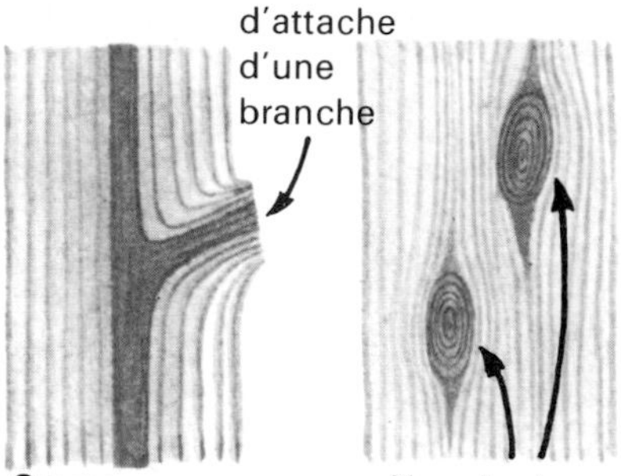

Point d'attache d'une branche
Coupe de tronc
Nœuds dans la planche

Des taches sombres appelées nœuds apparaissent sur une planche. Elles correspondent à l'ancien point d'attache d'une branche dans le tronc. Le grain est alors distendu et porte un nœud.

Séchage

L'air circule entre les planches.

Le bois frais contient de l'eau. C'est la raison pour laquelle les bûches vertes crépitent dans le feu. Quand il se dessèche, le bois rétrécit et souvent se fend ou gauchit. Il faut faire sécher les planches avant de les utiliser.

Autres types de bois

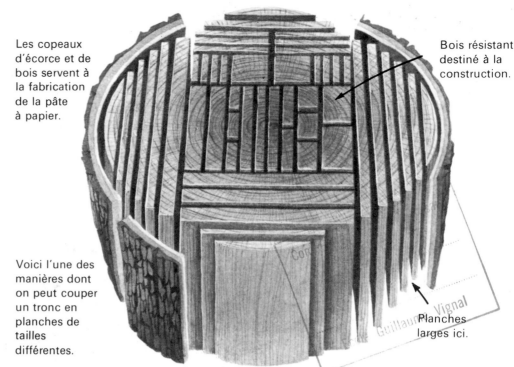

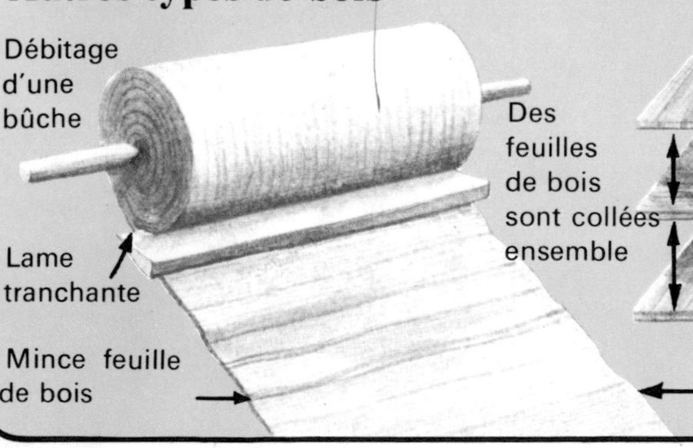

Débitage d'une bûche
Lame tranchante
Mince feuille de bois

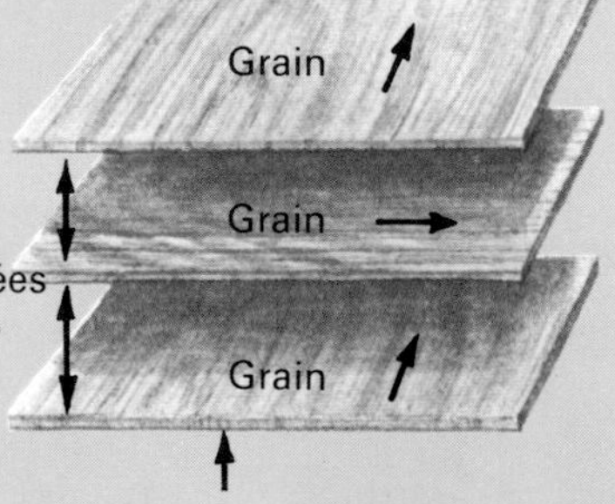

Des feuilles de bois sont collées ensemble
Grain
Grain
Grain
Contre-plaqué

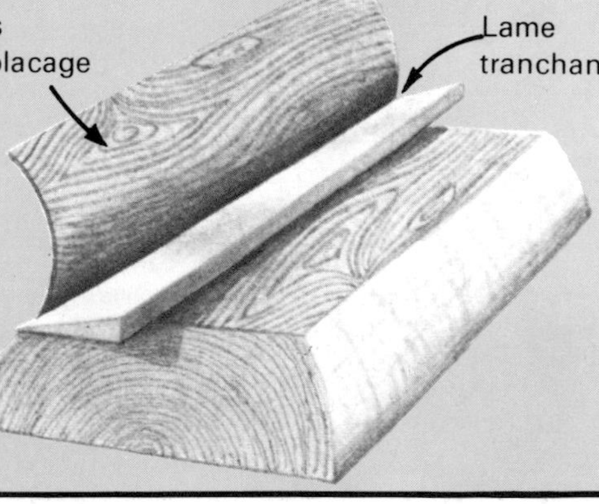

Bois de placage
Lame tranchante

Tout le bois qui t'entoure n'est pas fait de planches ordinaires. Le contre-plaqué se compose de minces couches de bois accolées, dont le grain court dans toutes les directions. Il est plus résistant que le bois ordinaire et ne gauchit pas. La mince couche de bois est débitée comme une bûche de Noël. Le bois de placage, mince couche de bois, au grain de toute beauté, s'applique sur les dessus de meubles. Le carton-pâte (qui n'est pas représenté ici) est fait de petits copeaux mélangés à de la glu.

Parasites et maladies cryptogamiques

Les arbres sont attaqués par des insectes parasites et des champignons qui sont à l'origine de maladies cryptogamiques. Les insectes se nourrissent sur les arbres, s'y abritent et s'y reproduisent. Ils peuvent en gâter le bois et l'écorce.
Les cryptogames forment un groupe de plantes sans fleurs; les champignons en font partie. Incapables de fabriquer leur nourriture, ils la prélèvent sur d'autres matières vivantes.

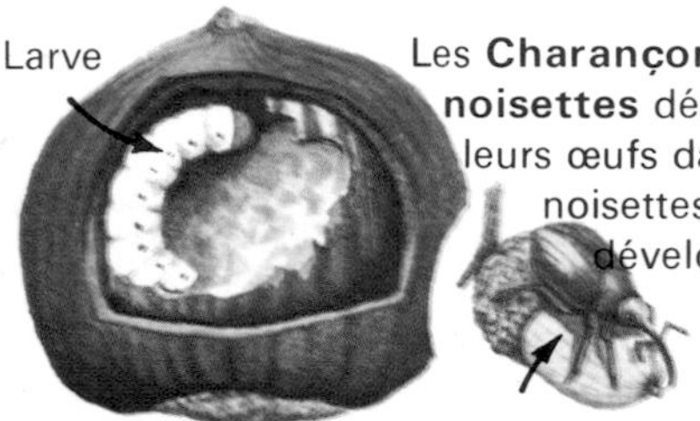

Les **Charançons des noisettes** déposent leurs œufs dans les noisettes où se développent leurs larves.

Feuilles et pousses

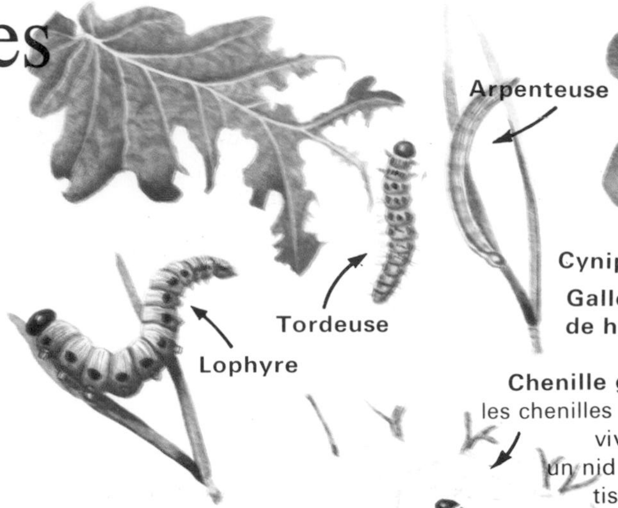

De nombreuses chenilles de Lépidoptères et de Papillons et toutes sortes de larves rongent des feuilles.

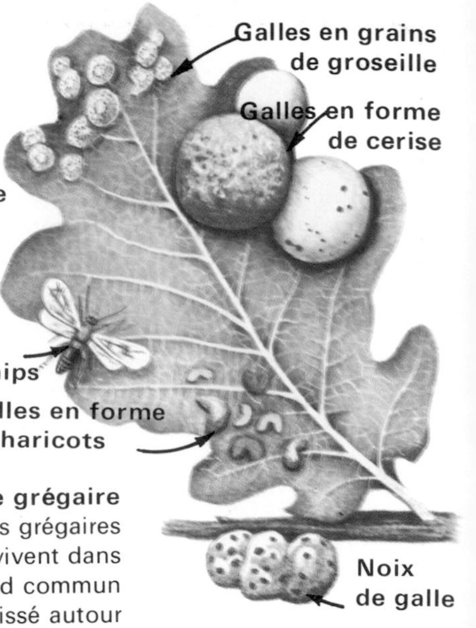

Certains insectes pondent sur les feuilles ou les pousses. L'arbre forme des excroissances appelées galles autour des œufs. Les larves se nourrissent à l'intérieur.

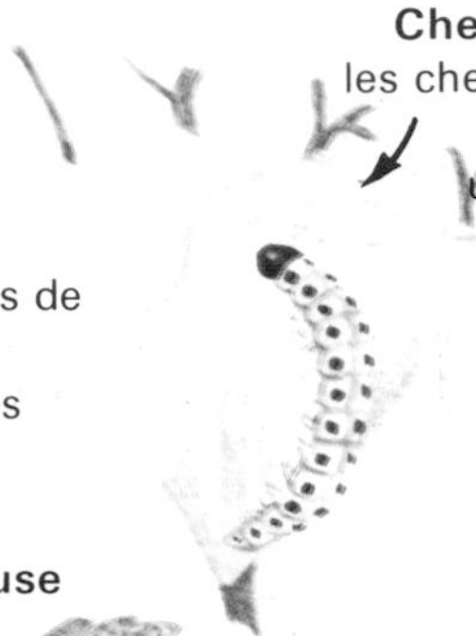

Chenille grégaire
les chenilles grégaires vivent dans un nid commun tissé autour des branches.

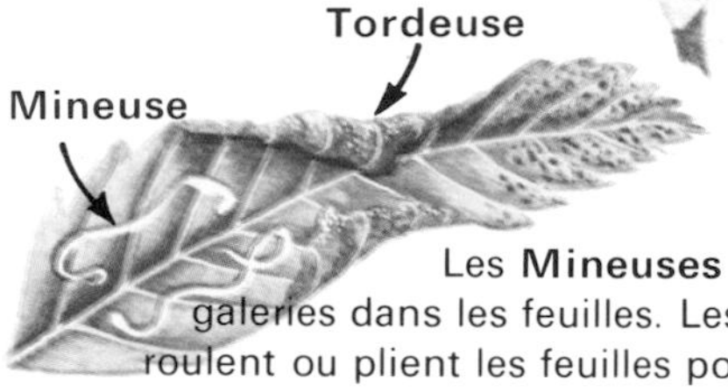

Les **Mineuses** creusent des galeries dans les feuilles. Les **Tordeuses** roulent ou plient les feuilles pour se cacher.

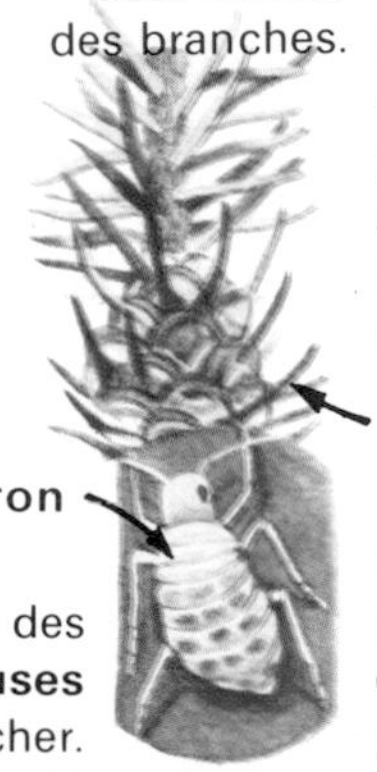

Un **Puceron** a formé cette galle en forme d'ananas en perçant une pousse pour en sucer la sève.

Écorce et bois

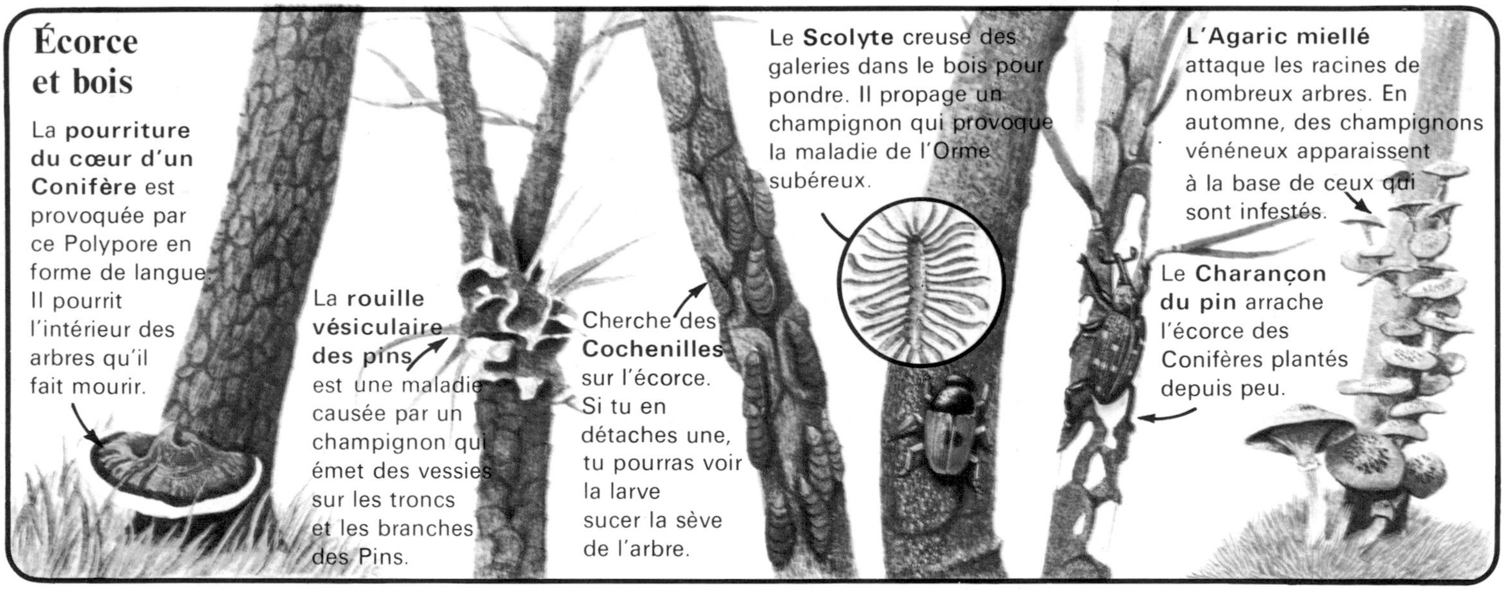

La **pourriture du cœur d'un Conifère** est provoquée par ce Polypore en forme de langue. Il pourrit l'intérieur des arbres qu'il fait mourir.

La **rouille vésiculaire des pins** est une maladie causée par un champignon qui émet des vessies sur les troncs et les branches des Pins.

Cherche des **Cochenilles** sur l'écorce. Si tu en détaches une, tu pourras voir la larve sucer la sève de l'arbre.

Le **Scolyte** creuse des galeries dans le bois pour pondre. Il propage un champignon qui provoque la maladie de l'Orme subéreux.

Le **Charançon du pin** arrache l'écorce des Conifères plantés depuis peu.

L'Agaric miellé attaque les racines de nombreux arbres. En automne, des champignons vénéneux apparaissent à la base de ceux qui sont infestés.

Racines

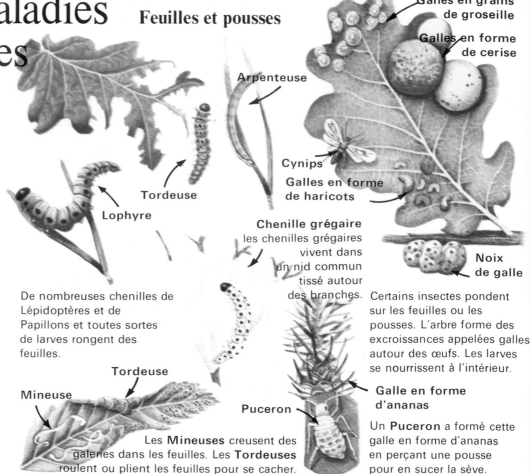

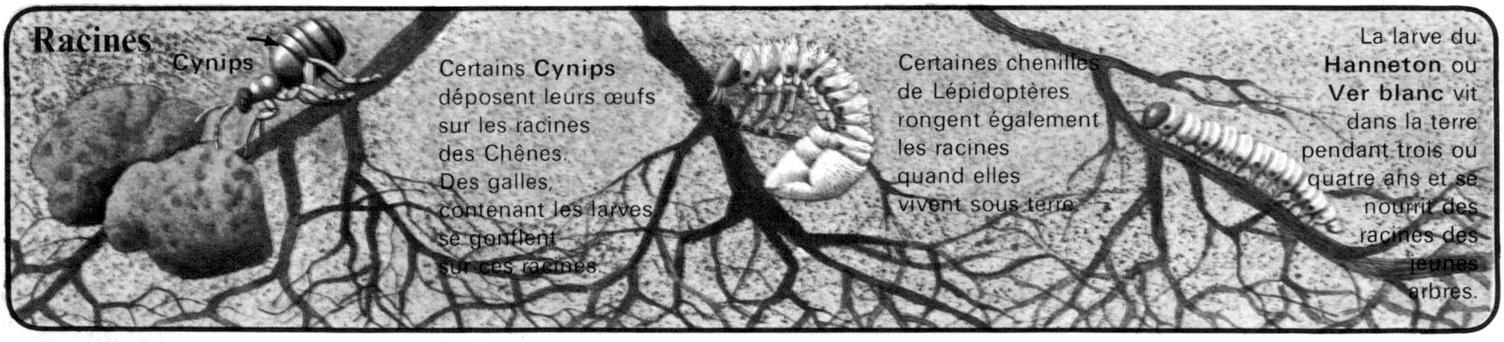

Certains **Cynips** déposent leurs œufs sur les racines des Chênes. Des galles, contenant les larves se gonflent sur ces racines.

Certaines chenilles de Lépidoptères rongent également les racines quand elles vivent sous terre.

La larve du **Hanneton** ou **Ver blanc** vit dans la terre pendant trois ou quatre ans et se nourrit des racines des jeunes arbres.

Blessures

Conserve une noix de galle

Gaze nouée avec une ficelle
Relâche le **Cynips** dès qu'il sort
Noix de galle

En été, ramasse des noix de galle et autres galles qui ne soient pas perforées. Conserve-les dans un bocal fermé par une gaze. Les Cynips qui s'y sont logés en ressortiront un mois après.

Empreintes de spores

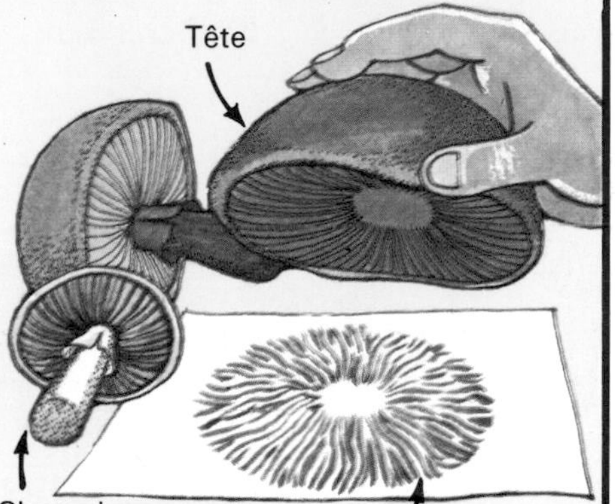

Tête
Champignons ou faux agarics
Empreinte de spore

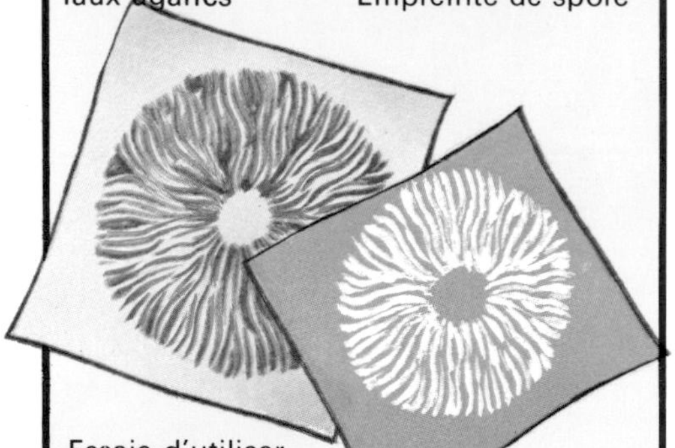

Essaie d'utiliser également des feuilles de couleur.

Fais des empreintes de spores avec des champignons. Coupe la queue et place la tête sur une feuille de papier. Laisse-la toute la nuit. Ses spores tomberont sur le papier et marqueront leur empreinte. Lave-toi toujours les mains après avoir touché à des champignons vénéneux.

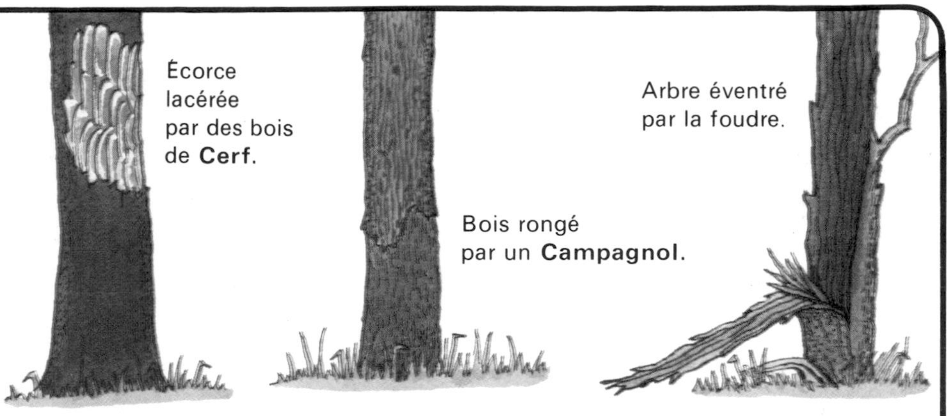

Écorce lacérée par des bois de **Cerf**.
Bois rongé par un **Campagnol**.
Arbre éventré par la foudre.

Parfois, les arbres sont abîmés par des animaux. Des Cerfs en arrachent l'écorce en se grattant le velours de leurs bois. Écureuils, Campagnols et Lapins rongent du bois jeune. Un tronc frappé par la foudre se fend souvent en deux. La sève s'échauffe en effet à tel point qu'elle commence à se volatiliser. Elle se dilate puis explose, écartelant l'arbre... qui ne meurt pas toujours pour autant!

Comment un arbre se soigne lui-même

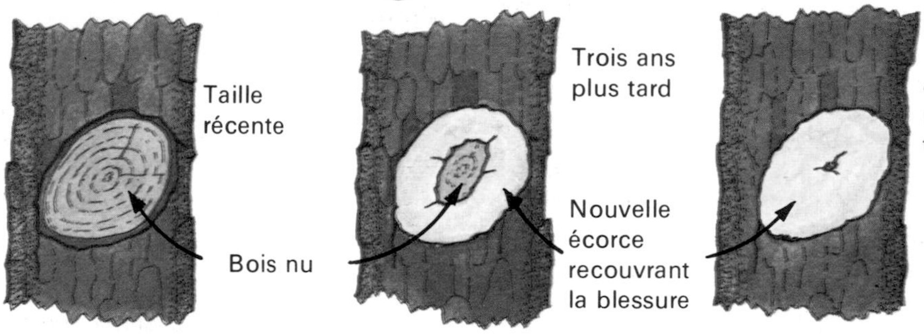

Taille récente
Bois nu
Trois ans plus tard
Nouvelle écorce recouvrant la blessure
Six ans plus tard

Quand une branche est taillée correctement, la blessure se cicatrise facilement. Une nouvelle épaisseur de cambium couvre la plaie. Ce cachet éloigne champignons et maladies. Une blessure guérit en quelques années, les jeunes arbres se soignent plus vite que leurs aînés. Un arbre dont le tronc est entièrement touché finit par mourir.

Comment meurt un arbre?

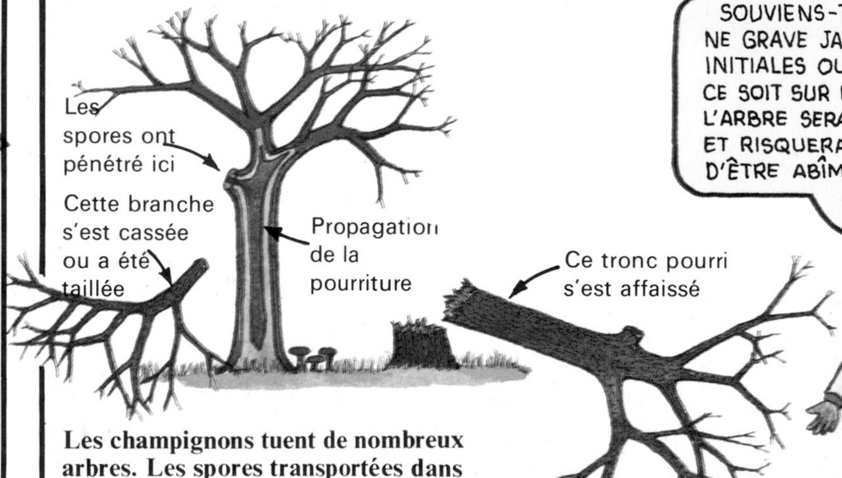

Les spores ont pénétré ici
Cette branche s'est cassée ou a été taillée
Propagation de la pourriture
Ce tronc pourri s'est affaissé

SOUVIENS-TOI ! NE GRAVE JAMAIS TES INITIALES OU QUOI QUE CE SOIT SUR UN ARBRE. L'ARBRE SERAIT LAID ET RISQUERAIT D'ÊTRE ABÎMÉ.

Les champignons tuent de nombreux arbres. Les spores transportées dans l'atmosphère se glissent dans une ouverture et se propagent dans l'arbre.

Faune et flore des forêts

Quand tu marches en forêt, peut-être as-tu l'impression qu'elle est morte et déserte. En fait, une vie intense l'anime. Les arbres protègent des intempéries, du vent, d'un soleil trop ardent. Les racines maintiennent le sol en place. Les feuilles mortes et les brindilles couvrent le sol d'un tapis riche appelé humus.
De nombreux animaux se nourrissent et s'abritent sur les arbres. La faune et la flore qui vivent dans les forêts de Conifères et de Feuillus sont généralement différentes même si, parfois, on les retrouve dans les deux à la fois.

Forêts de Conifères

Une forêt de Conifères est sombre et touffue. Quelques plantes poussent à même le sol à cause de l'épais tapis d'aiguilles et du manque de lumière. Voici quelques animaux habitants des forêts de Conifères.

Forêts de Feuillus

Une forêt feuillue est plus claire et dégagée. Aussi attire-t-elle plus de plantes et d'animaux. De nombreuses fleurs s'épanouissent au printemps avant que les feuilles n'aient caché la lumière. Comme tu peux le voir, une forêt de Chênes est très peuplée.

Enquête sur les arbres

Fais une enquête sur les arbres qui poussent autour de toi. Choisis un jardin, une rue ou un parc où tu penses pouvoir trouver toute une variété d'arbres, mais ne vois pas trop grand! Fais-toi accompagner par un ami: ce sera plus facile et plus amusant! Une fois ton coin choisi, trace une carte simplifiée et dessine des repères, routes ou maisons. Essaie de te référer à une échelle (une feuille quadrillée te sera d'un précieux secours). Fais des recherches dans un ordre précis pour ne pas étudier le même arbre. Reviens ensuite les identifier et les mesurer.

Que dois-tu emmener?

Comment identifier un arbre?

Essaie d'identifier les arbres en te servant de ce livre ou d'un guide spécialisé . Souviens-toi que tu pourras les reconnaître, non pas grâce à un seul, mais à plusieurs repères.

Tracé d'une carte

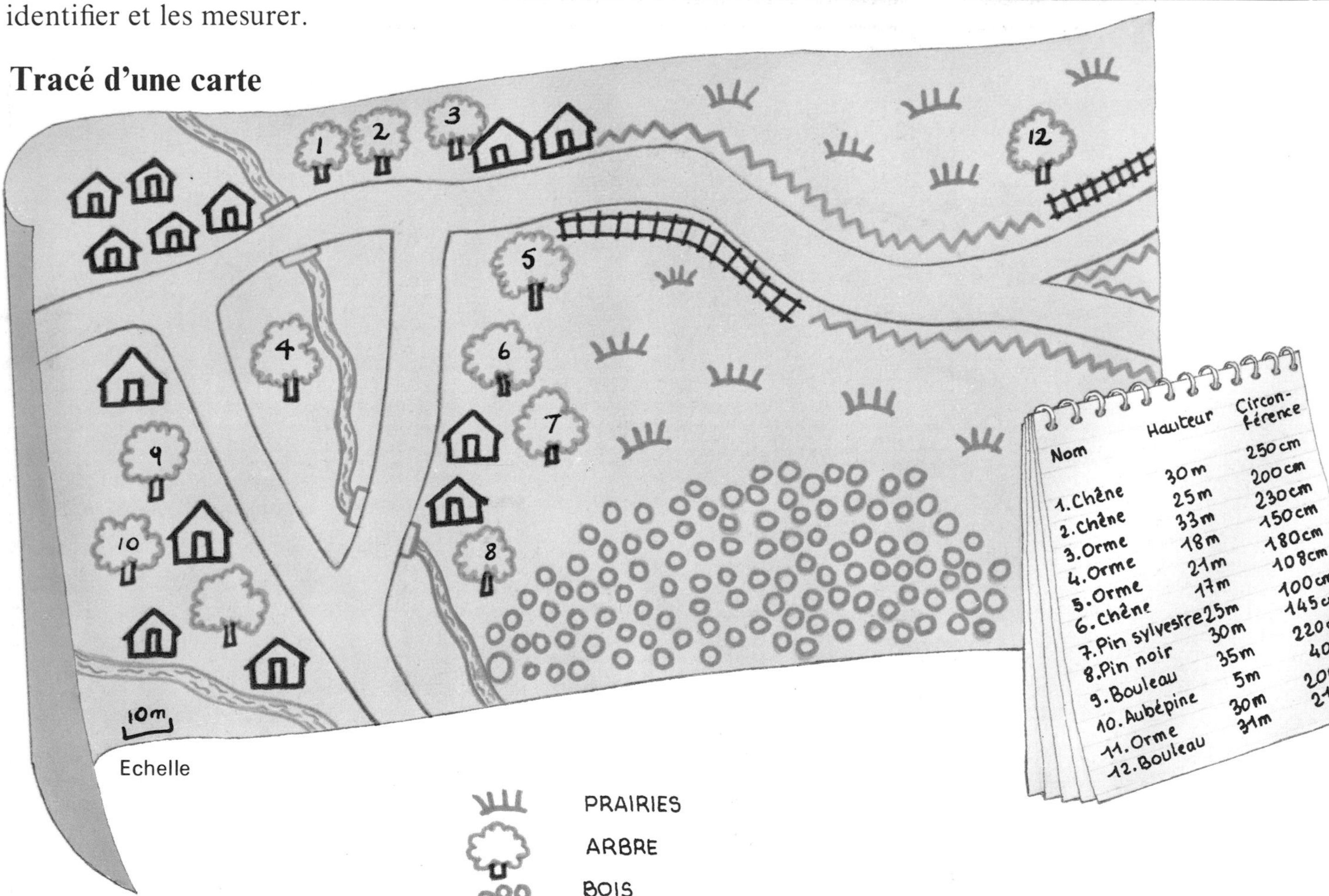

En retournant chez toi, dessine un double plus net et plus détaillé de ta carte. Indique l'échelle. Choisis quelques symboles. Voici quelques suggestions:

Ensuite, décris ce que tu as découvert pendant ton enquête. Marque le nom, la hauteur et la circonférence de chaque arbre. Reprends plus tard ton enquête pour savoir si d'autres arbres ont poussé ou si quelque chose a changé.

Comment mesurer un arbre?

Marque indiquée sur le bâton.
Ton ami mesure 1,50 mètre de haut.
L'arbre a quatre fois la hauteur de ton ami. Il mesure 6 mètres de haut.

Demande à un ami de rester près de l'arbre. Prends un bâton et tiens-le à la verticale à bout de bras. Soulève le pouce sur ton bâton pour l'aligner sur les pieds de ton ami. L'autre extrémité du bâton le sera avec le sommet de sa tête. Marque sur le bâton l'emplacement de ton pouce.

Calcule combien de fois la partie du bâton située au-dessus de cette marque se retrouve sur la hauteur de l'arbre (quatre fois ici). Multiplie ensuite la hauteur de ton ami (1,50 mètre ici) par ce nombre pour connaître approximativement la hauteur de l'arbre (6 mètres). Mesure sa circonférence à hauteur de poitrine. Demande à ton ami de tenir l'un des bouts de la ficelle pendant que tu maintiens l'autre. Fais le tour de l'arbre jusqu'à ce que vous vous rencontriez. Puis vérifie la longueur de la ficelle.

1 Comment étudier un arbre?

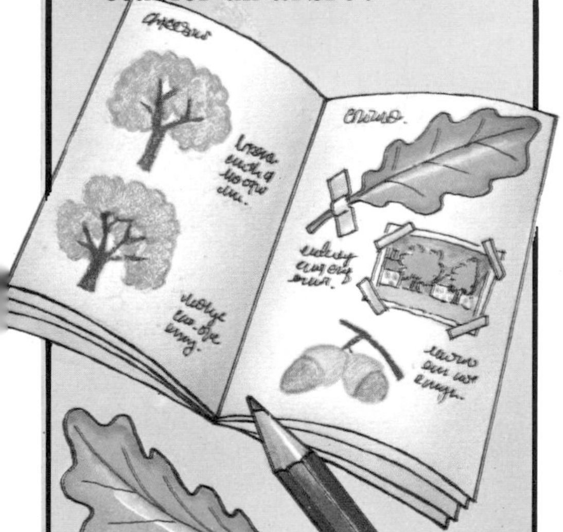

Fais une étude approfondie d'un arbre sur une année entière. Choisis celui que tu peux aisément et souvent observer. Inscris sur un carnet le moment où tu as vu ses feuilles, ses fleurs apparaître; celui où ses fruits ont mûri, où ses feuilles sont tombées. Agrémente de dessins ou de photos prises à ces différentes périodes, et sur différents spécimens.

2

Étudie les animaux qui vivent sur l'arbre ou près de lui. Cherche des nids d'oiseaux ou d'Écureuils au sommet. Examine le tronc pour y découvrir des insectes. Cherche sur le sol des traces d'animaux, excréments de Chouette, noix ou cônes rongés. Pour observer les insectes cachés en haut de l'arbre, secoue une branche robuste avec un bâton. Fais tomber les insectes sur un tissu bianc.

3

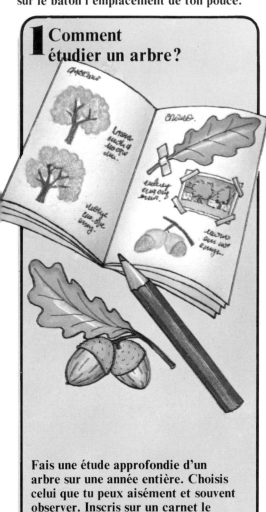

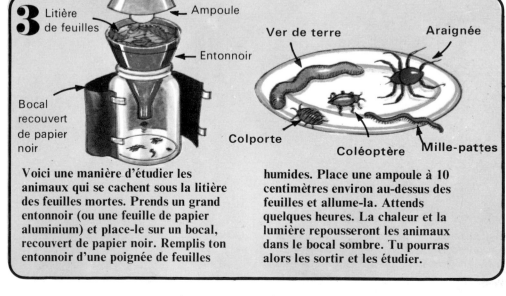

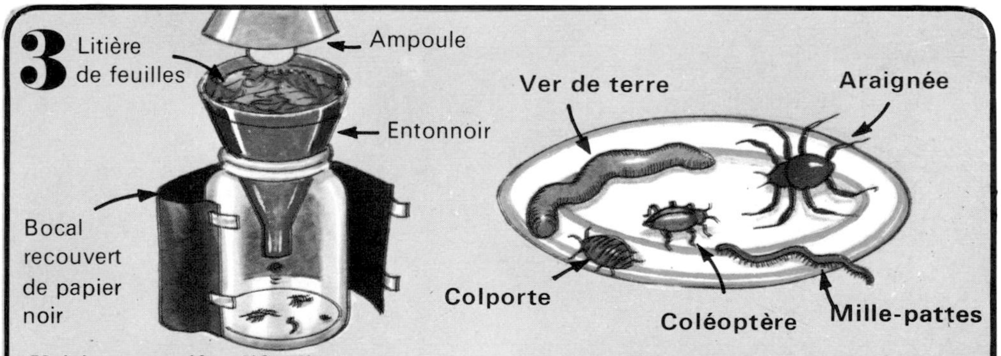

Voici une manière d'étudier les animaux qui se cachent sous la litière des feuilles mortes. Prends un grand entonnoir (ou une feuille de papier aluminium) et place-le sur un bocal, recouvert de papier noir. Remplis ton entonnoir d'une poignée de feuilles humides. Place une ampoule à 10 centimètres environ au-dessus des feuilles et allume-la. Attends quelques heures. La chaleur et la lumière repousseront les animaux dans le bocal sombre. Tu pourras alors les sortir et les étudier.

Repérage d'arbres communs

Conifères

Faux Cyprès de Lawson. 25 mètres. Forme étroite. Pousse terminale tombante. Petits cônes arrondis. Haies.

Thuya géant. 30 mètres. Branches recourbées. Cônes minuscules semblables à des fleurs. Haies.

If. 15 mètres. Vert foncé. Tronc bosselé. Écorce rougeâtre. Feuilles et baies rouges toxiques.

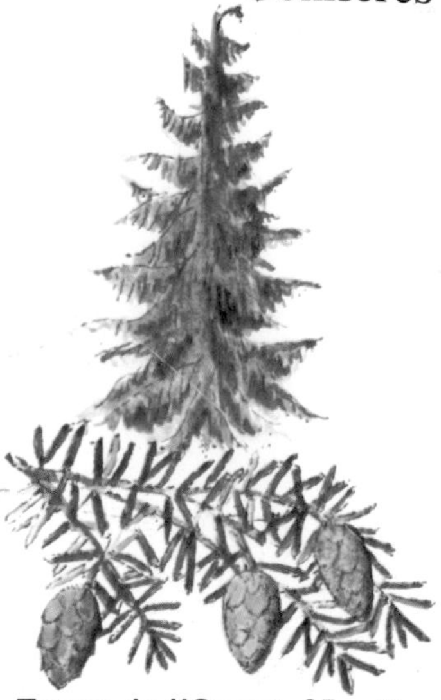

Tsuga de l'Ouest. 35 mètres. Branches et pousse terminale tombantes. Petits cônes.

Épicéa commun. 30 mètres. Arbre de Noël. Cônes longs, pendants. Parcs, jardins, plantations.

Sapin de Douglas. 40 mètres. Cônes pendants, hirsutes. Écorce fissurée.

Sapin pectiné. 40 mètres. Gros cônes dressés au sommet de l'arbre. Parcs.

Pin sylvestre. 35 mètres. Cime irrégulière. Tronc lisse. Écorce crevassée.

Pin noir. 36 mètres. Plus arrondi et plus touffu que le **Pin sylvestre.** Aiguilles longues, vert foncé.

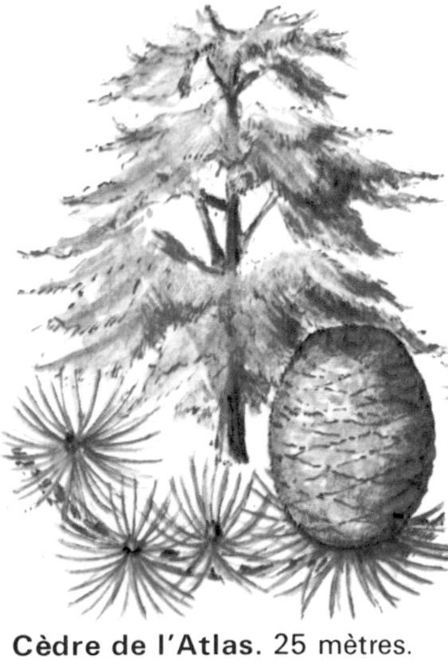

Cèdre de l'Atlas. 25 mètres. Forme évasée. Cônes dressés, en forme de tonneaux. Aiguilles vert-bleu. Parcs.

Mélèze d'Europe. 38 mètres. Cônes dressés, ovoïdes. Aiguilles douces au toucher, vert clair, tombent en hiver.

Mélèze du Japon. 35 mètres. Cônes dressés, en forme de rosette. Rameau orange. Les aiguilles tombent en hiver.

Feuillus

Les arbres sont ici énumérés d'après la forme de leurs feuilles. La hauteur donnée est celle d'un arbre adulte de grande taille.

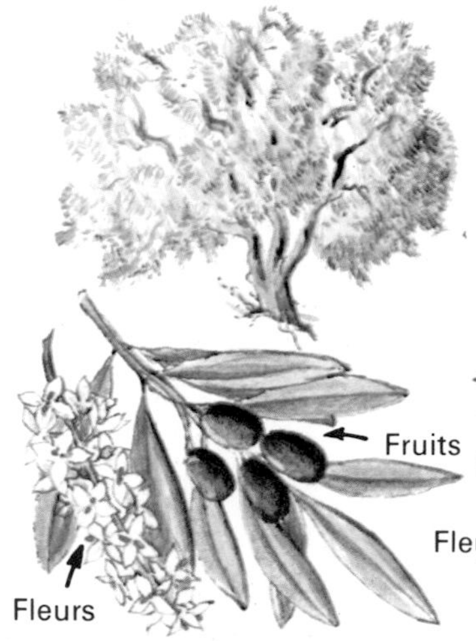

Olivier commun. 10 mètres. Feuilles persistantes. Tronc gris tortueux. Fruits comestibles.

Chêne vert. 20 mètres. Feuilles persistantes, lustrées, ressemblent à du houx. Écorce grise.

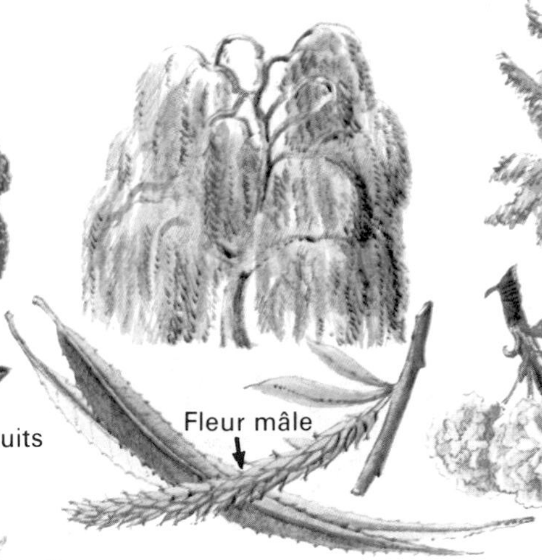

Saule pleureur. 20 mètres. Forme pleureuse. Près de l'eau et dans les jardins.

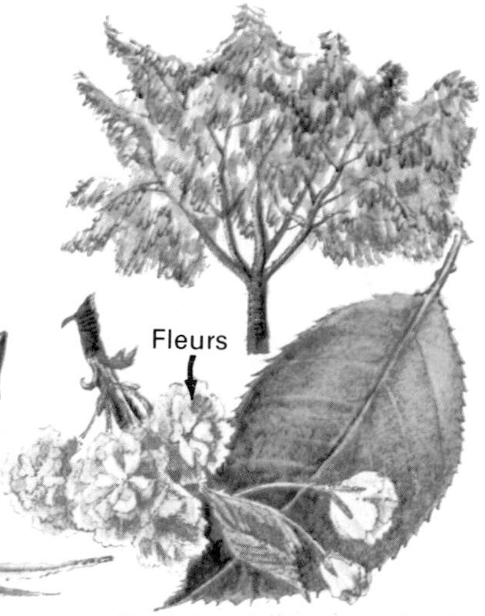

Cerisier du Japon. 9 mètres. Fleurs, avril-mai. Nombreuses variétés. Jardins et bords de routes.

Cerisier des bois ou **Merisier.** 15 mètres. Écorce brun rougeâtre, se détache en fines lamelles.

Amandier. 8 mètres. Fleurs, mars-avril, avant les feuilles. Fruits verts fournissant l'amande comestible. Jardins

Houx commun. 10 mètres. Feuilles persistantes, souvent bariolées. Baies vénéneuses. Arbrisseaux.

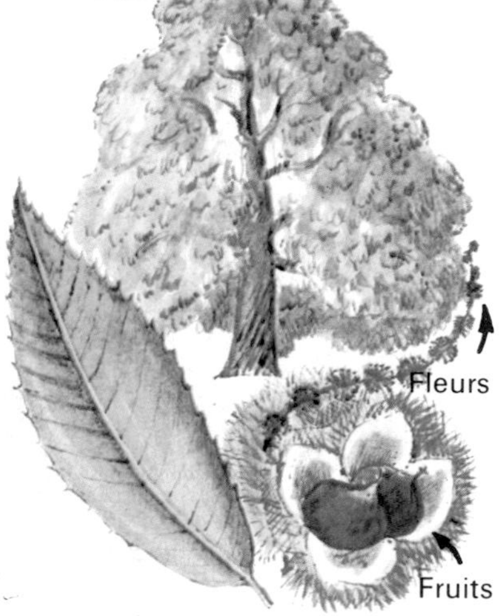

Châtaignier commun. 35 mètres. Châtaignes comestibles groupées par deux dans une cupule verte hérissée de piquants.

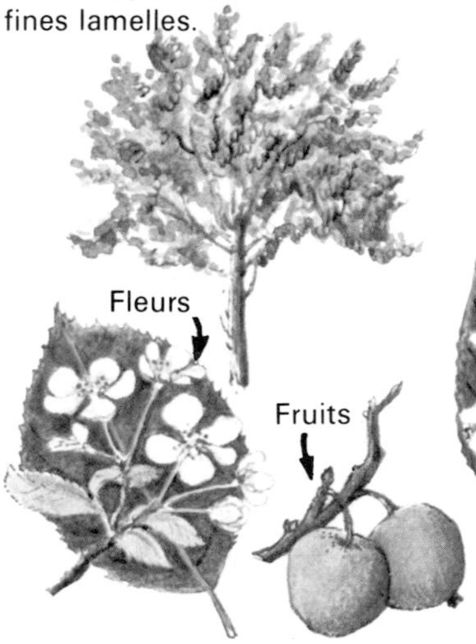

Pommier sauvage. 10 mètres. Arbuste. Fleurs, mai. Fruits comestibles mais amers. État sauvage, haies, taillis.

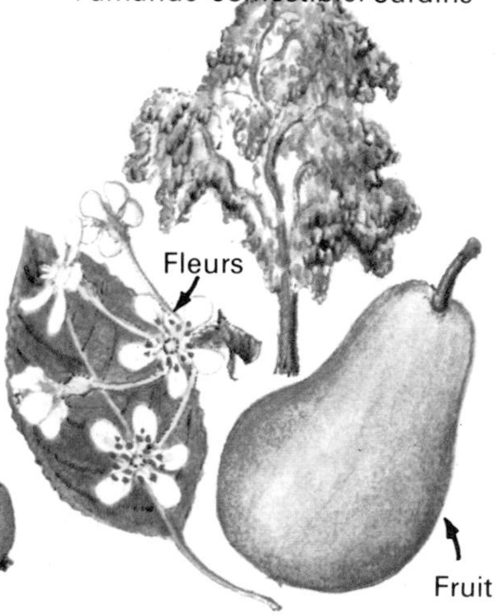

Poirier commun. 15 mètres. Tronc droit. Fleurs, avril-mai. Fruits comestibles. Rideaux de haies et jardins.

Oranger. 9 mètres. Feuilles persistantes. Nombreuses variétés. Fleurs odorantes en hiver. Fruits comestibles.

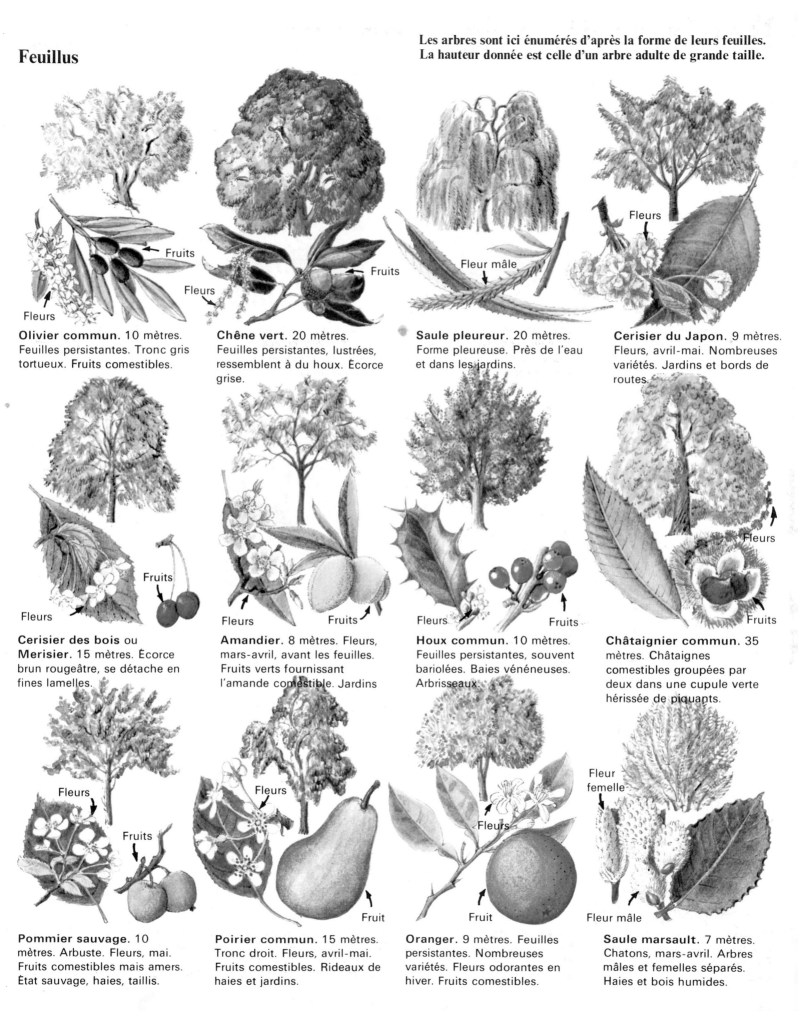

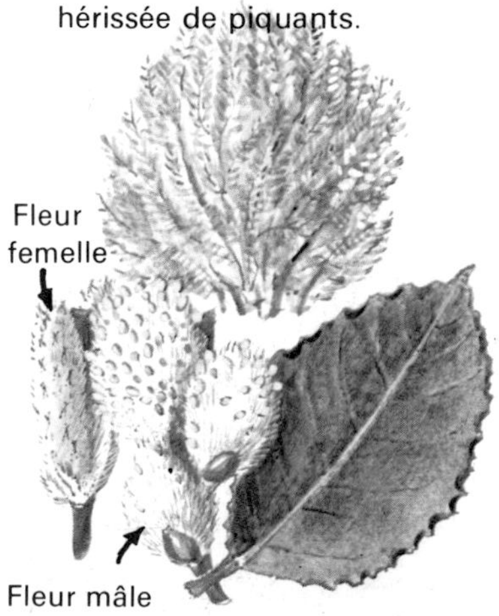

Saule marsault. 7 mètres. Chatons, mars-avril. Arbres mâles et femelles séparés. Haies et bois humides.

Feuillus

Hêtre commun. 25 mètres. Écorce lisse, grise. Fruits (faines) destinés aux animaux.

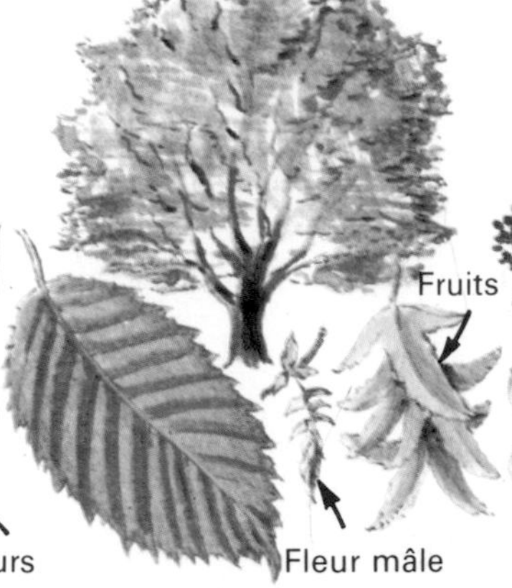

Charme commun. 10 mètres. Tronc lisse, élancé, gris. Fruits verts ailés, pendant en grappes. Haies.

Orme blanc. 20 mètres. Cime arrondie, régulière. Bois et haies. Plus commun que l'Orme à petites feuilles du Nord.

Orme à petites feuilles. 30 mètres. Cime élancée, étroite, souvent irrégulière. Haies et bois.

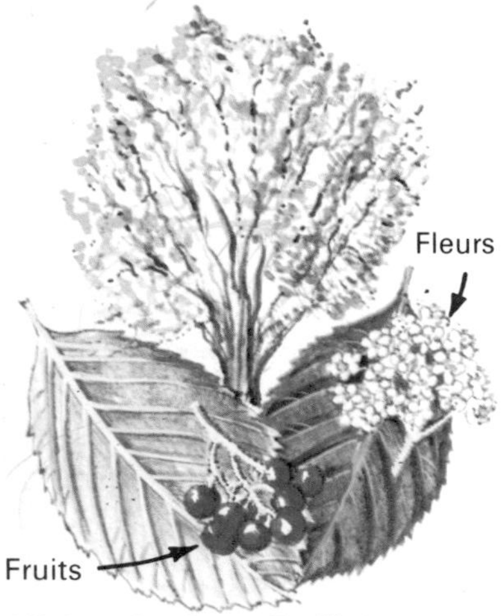

Alisier. 8 mètres. Feuilles blanches et cotonneuses en dessous. Fruits, mai-juin. Fruits (alises) rouges, amers. État sauvage.

Peuplier noir. 25 mètres. Tronc noir, souvent bosselé. Jardins publics.

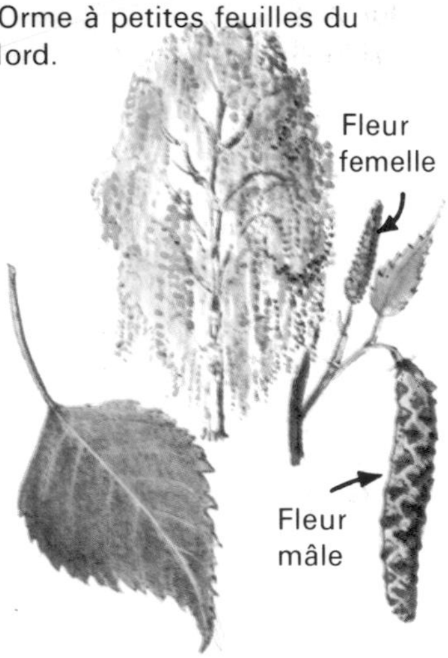

Bouleau commun. 15 mètres. Écorce blanche se détachant en fines lamelles. Chatons «en queue d'agneau».

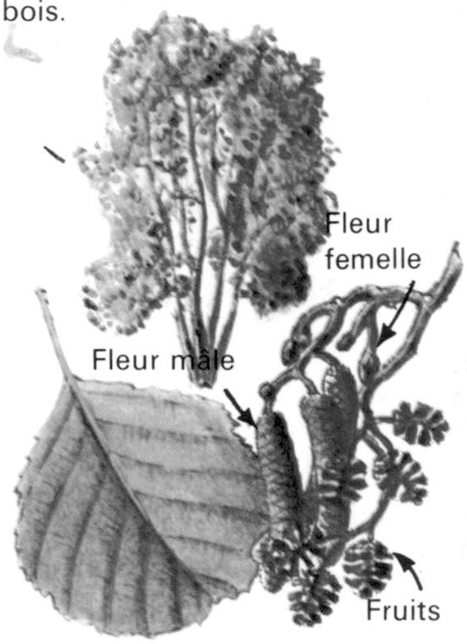

Aune glutineux. 12 mètres. Cônes persistant l'hiver. Chatons au début du printemps. Près de l'eau et dans les bois humides.

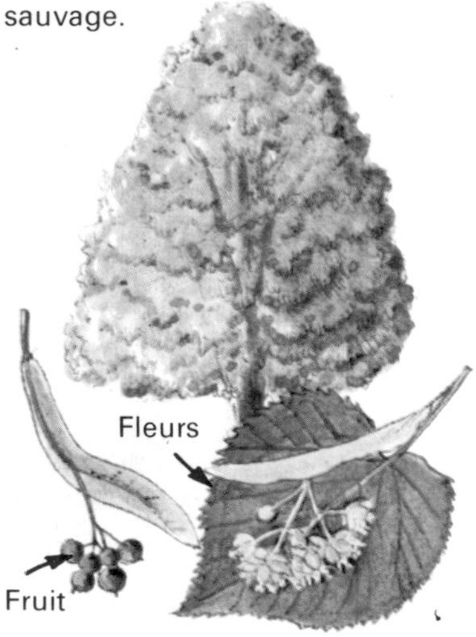

Tilleul commun. 25 mètres. Feuilles en forme de cœur. Fleurs odorantes attirent les abeilles en juin.

Chêne chevelu. 25 mètres. Bourgeons et base des feuilles velus. Cupules des glands moussues. Écorce crevassée.

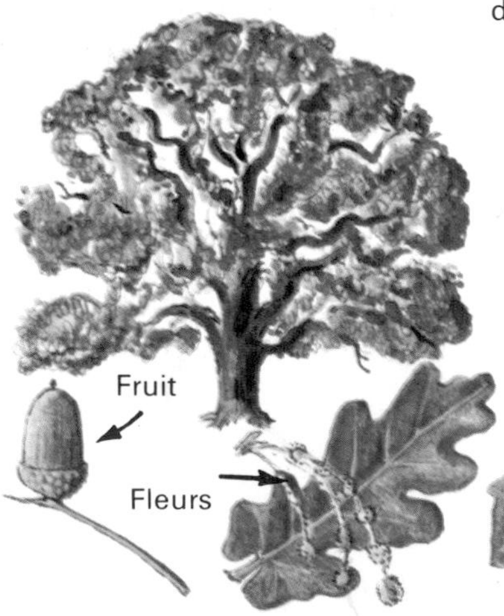

Chêne rouvre ou **pédonculé.** 23 mètres. Branches évasées. Glands à longs pédoncules.

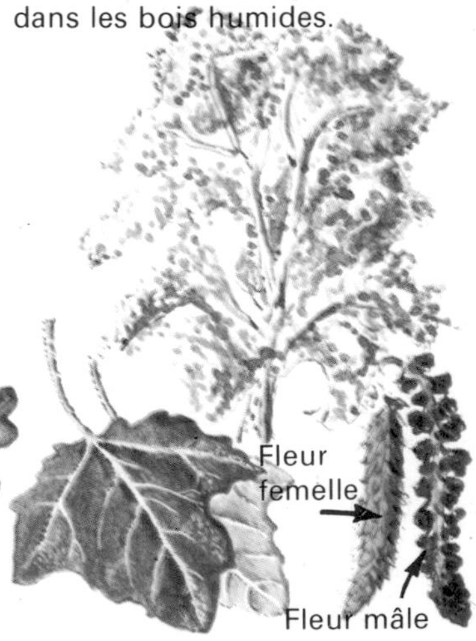

Peuplier blanc. 20 mètres. Feuilles d'un blanc cotonneux en dessous. Écorce lisse blanchâtre.

Feuillus

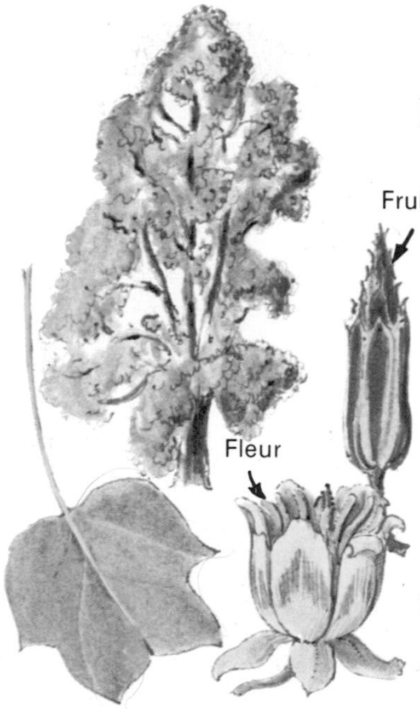

Tulipier de Virginie. 20 mètres. Fleurs rappelant la Tulipe, juin-juillet. Fruits dressés, bruns.

Érable champêtre. 10 mètres. Cime arrondie. Écorce fendillée. Graines ailées disposées presque horizontalement. Haies et bois.

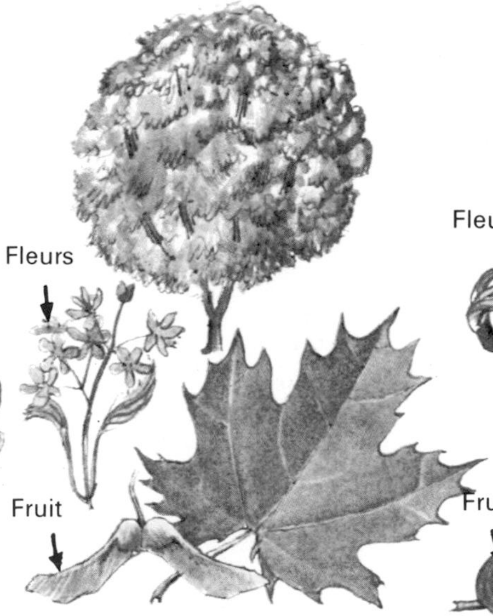

Érable plane. 15 mètres. Graines disposées suivant un angle obtus. Feuilles colorées en automne. Parcs, rues.

Sycomore. 20 mètres. Fruits (samares doubles) à ailes disposées à angle droit. Écorce lisse, s'écaille par plaques.

Platane. 30 mètres. Écorce tombe en plaques et laisse apparaître des taches blanches. Fruits hérissés de poils.

Figuier commun. 6 mètres. Fleur (sycone) enfermée dans un réceptacle en forme de poire, qui devient ensuite la figue.

Marronnier d'Inde. 25 mètres. Feuilles composées. Fleurs dressées, mai. Fruits épineux contenant les marrons.

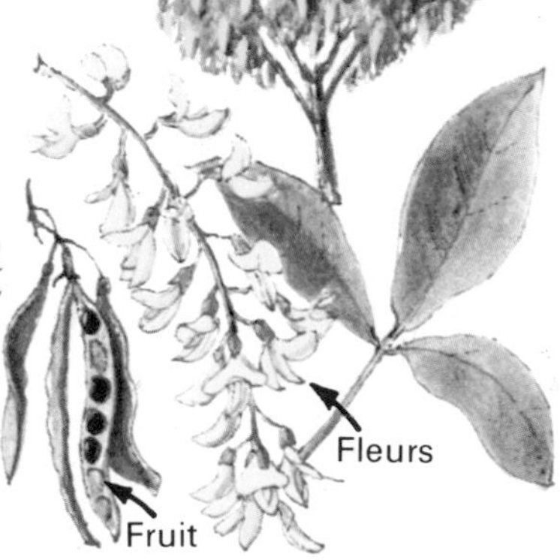

Aubour. 7 mètres. Feuilles composées. Fleurs, mai-juin. Graines vénéneuses.

Robinier faux acacia. 20 mètres. Feuilles composées. Rameaux épineux. Fleurs en grappes pendantes, juin.

Noyer commun. 15 mètres. Feuilles composées. Écorce gerçurée. Rameaux creux. Fruits (noix) comestibles.

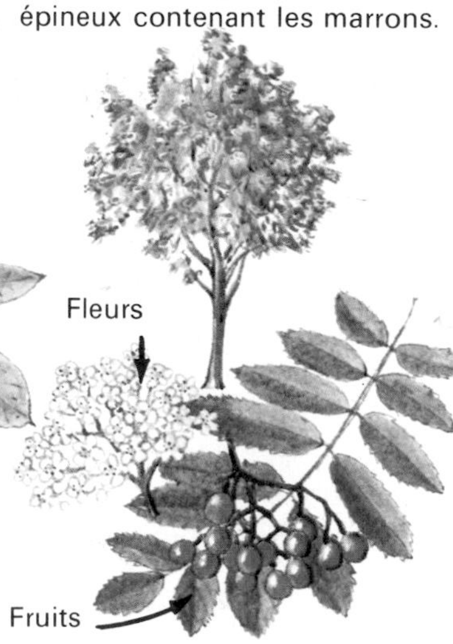

Sorbier des oiseleurs. 7 mètres. Feuilles composées. Fleurs, mai. Baies orange, amères, septembre.

Frêne commun. 25 mètres. Feuilles composées. Foliation tardive. Samares persistantes en hiver. Bois et parcs.

Index